日本で楽しむ

わたしの北欧 365日

森 百合子

はじめに

北欧の窓から広がる、日々の楽しみ

仕事や旅で北欧とのつながりができてから、もう20年になります。この本では、私の暮らしにすっかり浸透している北欧のものや考え方から、紹介したい北欧のアーティスト、かっこいい女性たち、北欧の友人たちが興味をもった日本のことまで、1日1テーマずつ紹介しています。コロナ禍で旅に行けない日々に楽しんだ北欧の味や映画。子どもの頃から触れていた北欧のデザインや本。日本や北欧、世界の記念日とからめて、季節の行事や旅の思い出も綴っています。なんということもない思いを綴った日もあります。「日常と旅」「いまと昔」「日本と北欧」を行ったり来たりの366ページです。誕生日や記念日から読み始めても、好きな季節からでも、どうぞ気になる日にちから開いてみてください。あなたにとっての「北欧」を、より広げるきっかけとなればうれしいです。

アイスランド

フィンランド

スウェーデン

ノルウェー

バルト三国

デンマーク

N

W　E

S

ノルウェー

・・・

首都はオスロ。フィヨルドや雄大な自然で知られ、ムンクやアムンゼンを輩出。じつはデザインやコーヒー文化も成熟。

スウェーデン

・・・

首都はストックホルム。人口や経済規模は北欧ナンバーワン。ノーベル賞、アバ、イケア、長くつ下のピッピを生んだ国。

デンマーク

・・・

首都はコペンハーゲン。アンデルセンの故郷で、ヒュッゲの国。家具やデザインが有名で、北欧の美食ブームも牽引。

アイスランド

・・・

首都はレイキャビク。火山と氷河を擁する絶景の国。人口約36万の小国ながら芸術が盛んで、男女平等では世界をリード。

フィンランド

・・・

首都はヘルシンキ。森と湖とサウナの国。ムーミンやマリメッコ、イッタラを生み出し、日本の北欧ブームを盛りあげる国。

※北欧は一般的にこの5カ国を指しますが、国連の分類ではバルト三国も北欧とされています。本書では5カ国に加えて、フィンランドと文化や言語も近いエストニアをはじめ、バルト三国にも触れています。

もくじ

本書について

本書で掲載している二十四節気や雑節（特別な暦日）の日付は年度によって変わる場合があるため、大まかな目安を記しています。また、掲載されているイベントや商品等は既に終了、変更している場合もありますのでご了承ください。

1/1 元旦

新年の挨拶

謹賀新年。新年の挨拶を北欧各国の言葉で書くと、
Gott nytt år!（ゴット ニュット オール）スウェーデン
Godt nytår!（ゴト ニュトオー）デンマーク
Godt nytt år!（ゴット ニット オール）ノルウェー
Gleðilegt nýtt ár!（グレーズィレグト ニヒト アウル）アイスランド
Hyvää uutta vuotta!（ヒュヴァー ウーッタ ヴオッタ）フィンランド

クリスマスは家族で過ごし、大晦日は友人たちと集って年越しをするのが北欧流。日本とは逆なんです。ストックホルムで参加した年越しパーティではシャンパンで乾杯して、新年の挨拶を交わしました。スウェーデン語は話せませんが、挨拶だけでも交わせると嬉しかったですね。メールやＳＮＳでやりとりする北欧の友人たちにも現地の言葉で挨拶を送ります。

1/2

初日の出はいつ見るの？

元旦に初日の出を見る。日本で当たり前にしていた行事が、どこでもできるわけではないと気づいたのは北欧へ行くようになってから。たとえば北緯66度を超える北極圏では1月下旬頃まで太陽とはお別れ。白夜の反対で、極夜と呼ばれる太陽が昇らない状態が続くのです。そこまで北に住んでいなくとも、曇り続きで1月もだいぶ過ぎてから「やっとお日さまが見られた！」と声が届くことも。ストックホルムで迎えた元旦は朝9時でもまだ薄暗く、ようやく日が昇り始めた感じ。初日の出を見るのに早起きする必要はないんですね。日本でいちばん最初に日の出が見られるのは千葉県の犬吠埼（いぬぼうさき）。低緯度で東側だと早いわけですが、北欧ではどこがいちばん？　と地図を見ながら考えるお正月です。

1/3

特別な日のためのお椀

実家にはお雑煮用のお椀があります。お雑煮担当を母から受け継ぎ準備するようになり、年に一度の特別なお椀を取り出すうれしさもわかるようになりました。北欧にはクリスマス用のディナーセットやグラスがあって、こうした祝事の器は憧れるものの手が出ませんでした。でもある時、会津で見つけた漆のお椀にひとめぼれ。お正月やお祝いの席でいただく、こづゆと呼ばれる郷土料理のための漆器で普通のお椀よりも浅くて小ぶり。おめでたい吉祥文様のひとつとされる花喰鳥が描かれているのですが、どことなくスウェーデンの伝統模様であるクルビッツを思わせます。シルクロードを渡ってきたという花喰鳥も、クルビッツも由来は旧約聖書に出てくる鳩や植物というから、どこか通じるのかもしれません。

1/4

北欧の新春の花

お正月の飾りといえば、縁起物の松や竹に葉ぼたん、南天、水仙など。福を招いてくれそうなこの時期ならではのアレンジはいいものですよね。北欧で新年に好まれる花といえば、クリスマス時期から飾られるヒヤシンス、そしてチューリップ。新年はとくに白いチューリップが好まれます。どうやらスウェーデンは世界でもっともチューリップを買う国のようで、1月にはチューリップの日もあります。フィンランドやデンマークでも人気が高く、チューリップといえばオランダですが北欧も負けていません。わが家でも年明けにはチューリップ。でも猫への害を考えて生花は早々に手の届かない場所へ。チューリップは布で楽しむ新春です。

1/5

デミタスカップで風邪予防

小さくて可愛くて、つい買いたくなるデミタスカップ。でも実際のところ、家でエスプレッソを飲むことはほとんどないので出番がなかった……のですが、漢方薬を飲むのにちょうどいいと気づきました。以前は顆粒をそのまま口に入れて水で飲んでいましたが、お湯に溶かして飲むのがいいと聞き、このカップで飲むように。風邪をひきそうと思ったらまずはこれで葛根湯を飲んでいます。飲みきりやすい、小さめサイズがちょうどいい。スウェーデンからやってきたエンジェル柄のデミタスカップ、この時期は出番が多めです。

1/6

公現祭

クリスマスを終える日

キリスト教の公現祭にあたるこの日、北欧の国々ではクリスマス期間が正式に終わります。12月25日が過ぎて、新しい年になってもまだツリーやクリスマス飾りはそのままにしているのを見て最初は驚きました。日本だとクリスマスの翌日には町はすぐお正月仕様となり、お正月の後はバレンタインと、さっとモードを切り替えるのが当たり前ですもんね。でも、いまではわが家でもクリスマスの飾りを新年まで残して北欧式に長めに楽しむようになりました。そういえば日本でも関東では6日の夜から7日早朝にかけて松飾りを片付ける習わしとなっているのは、おもしろい偶然です。

1/7

七草の日

北欧の七草は？

1年の無病息災を願っていただく七草粥。子どもの頃は苦手でしたが、大人になってからは疲れた胃にしみて、ありがたく思うようになりました。北欧で体によい七草を選ぶとしたら、まずは伝統料理に必須のディルでしょうか。ディルには健胃効果があるといわれますしね。北欧の人々が「消化を助けるため」と言い訳をしながら飲む蒸留酒アクアビットにはキャラウェイが使われています。スウェーデンのテキスタイルデザイナー、アストリッド・サンペが描いたスパイス棚のイラストには、セージやマジョラム、ミント、ローズマリー、ラベンダー、チャービルが並んでいます。そういえば北欧では棘のあるイラクサもスープにしていただきます。ビタミンやミネラルを豊富に含んだ、健康的な春の味なのです。

新春には魚卵を

フィンランドでこの時期に食べるものというと、ロシアから伝わったそば粉のパンケーキ、ブリヌイ。丸いパンケーキは太陽を象徴し、本場ロシアでは冬に別れを告げて春を迎えるお祭りでいただく味ですが、フィンランドでは1月に食べる習慣があります。ブリヌイと一緒に食べるのが魚の卵。刻みタマネギとサワークリームを添えてディルをトッピングするのが定番で、魚卵にクリーム!? と最初こそ驚きましたが、この組み合わせがとてもおいしい。イクラでもトビコでもＯＫ。ブリヌイ作りが面倒だったら、茹でたじゃがいもにのせて食べてもおいしいですよ！

1/9

成人の日（1月第二月曜日）

成人の日のかわりに

北欧には成人の日はありませんが、キリスト教の儀式で子どもが一人前になることを祝う堅信礼というものがあります。13〜14歳頃に行われるのが常で、家族や友人が集って成長を祝います。この儀式について知ったのは、親しくしているデンマーク人家族が14歳になる娘の堅信礼に招いてくれたから。残念ながらコロナ禍で出席はできませんでしたが、ちょうど同じ年に公開となったデンマークの映画『パーフェクト・ノーマル・ファミリー』でその様子をのぞくことができました。父親がある日突然「女性になる」と宣言し、動揺しながらも変化を受け止めていく家族の物語を描いた作品で、とまどう主人公と、父を応援する姉が仲直りをする場面で堅信礼が描かれています。

起き上がりムンク小法師

フィンランドはムーミン、スウェーデンなら『長くつ下のピッピ』。ではノルウェーの顔といえば……やはりムンクの『叫び』でしょう。ムンクの生誕150周年を記念して福島の〈野沢民芸〉で作られたのが「起き上がりムンク」。ノルウェー文化を広めるとともに、福島の復興を支援することを目的に生まれたもので、何度も盗難にあいながらも美術館に戻ってくる『叫び』の絵に七転び八起きの精神を見立てたとの制作裏話には思わず笑ってしまいます。起き上がり小法師は江戸時代から会津に伝わる工芸品。転がっても立ち上がる様から縁起物として毎年1月10日の初市で売られるようになったのが始まりです。北欧と日本工芸のコラボ製品は数あれど、この組み合わせは最高ですよね。

1/11

塩の日

アイスランドの塩を送る

物価の高いアイスランドではおみやげ選びにも頭を悩ませるのですが、繰り返し買っているのは塩。海に囲まれたアイスランドでは海水から良質な天然塩が作られています。水色の箱に女神のイラストが描かれた〈ノルドゥル〉の塩はパッケージがおしゃれで、友人にも好評でした。1月11日は日本では塩の日。上杉謙信から武田信玄へ送られた塩が到着した日で、これが「敵に塩を送る」のもととなりました。敵ではなく、友へ送るアイスランドの塩。わが家でも愛用中です。

1/12

しずくのない1月

日本に正月太りという言葉があるように、北欧でもクリスマスシーズンに食べすぎる人は多く、年明けには雑誌でダイエット特集が組まれたりと節制の時期が始まります。フィンランドではパーティシーズンに飲みすぎた反省から1月は一滴も飲まずに過ごそうと「しずくのない1月」を掲げて断酒をする習慣があります。もともとは旧ソ連との戦争下、戦地の兵士たちと連帯しようと始まったキャンペーンがいまでは健康習慣として定着したよう。わが家では断酒も節制もしませんが、カロリーが低めのお酒を選ぶならフィンランドのジンはどうでしょう。ライ麦を使い、白樺の葉やベリーで香り付けをしたユニークな味わいは唯一無二。世界のベストジンに選ばれたこともあるんですよ。

1/13

聖クヌートの日

ツリーのお焚き上げ

子どもの頃は毎年参加していた、どんど焼き。木が爆(は)ぜて大きな音を立てたり、火の粉が巻き上がるのに怖れを抱きつつも、普段なかなか見ることのない大きな焚き火で、紅白の小さな餅を枝に刺して焼くのが楽しみでした。スウェーデンでは他の北欧の国々と異なり、聖クヌートの日と呼ばれる13日がクリスマスの飾りを片付ける日。かつてはツリーや藁のヤギなどの飾りを集めて焚き上げていたと聞いて、どんど焼きみたいだなあと思いました。クリスマスツリーの処分といえば、わりと最近まで窓から放りなげる荒々しいやり方がまかり通っていたようですが、いまどきは回収して再利用する流れに。スウェーデンの水差しに飾っていたわが家の紅白餅の正月飾りも、そろそろおしまいです。

1/14

持ち寄りたい料理

友人たちとの集いで喜ばれるのがスウェーデンの伝統料理、ヤンソンの誘惑。アンチョビを使ったポテトグラタンで、じゃがいもを細切りにして甘みのあるアンチョビを使うのが北欧式です。スウェーデンのアンチョビは甘みがきいて塩気は控えめ。いつも買いだめしておくのですが、なければ日本で買えるアンチョビに砂糖や蜂蜜をプラスしています。耐熱容器に細切りじゃがいもを並べ、炒めた玉ねぎ、アンチョビを散らし、もうひと巡り重ねたら最後にじゃがいもで覆って生クリームをかけ、仕上げにパン粉をふりかけて、200度のオーブンで約40分。ホワイトソースを作らずにできる簡単レシピです。現地でも食べたいと探したところ、小洒落たレストランでは見つからず、市場で発見。肉じゃがみたいな位置付けなのかもしれませんね。

1/15

小正月

お粥に入れるもの

小正月に食べると風邪をひかなくなるという小豆粥。お粥はアジアの食文化のように思っていましたが、北欧でもよく食べるのです。有名なのはクリスマスに食べるミルク粥。お米を牛乳で炊いてシナモンやバター、チェリーソースなどをかけていただきます。普段の朝食でも大麦やオーツ麦、セモリナ粉などを使ったお粥があり、ベリーのソースをかけたり、ベリーと一緒に炊くレシピも。お粥にシナモンやベリーとは驚きですが、北欧の人にとっては豆を甘くして食べるあんこが驚きなのだとか。小豆を使うけれど甘くない小豆粥なら、案外とあちらの人々にも受け入れられるかもしれません。

ラグのかわりに

なかなか納得のいくものに出会えなかったラグの代わりに、わが家で活躍しているのが北欧の家庭でおなじみの裂き織りマットです。スウェーデン語ではトラースマッタと呼ばれ、トラースとは端切れや使用済みの布のこと。使わなくなった服やリネン類を裂いて編んだマットで、古くから農村でも使われていた生活道具です。玄関や廊下、キッチンなど汚れがちな場所に敷くことが多く、わが家でも真似してキッチンに。食材や調味料で汚れても丸洗いできて、冬場は床の冷気対策にもなっています。日本にも裂き織りの伝統がありますが、色合わせにその国らしさが出ますよね。ベッドやソファの前にも敷いて、部屋のアクセントにもしています。

ムスカリでひと呼吸

ムスカリの球根があったので、水耕栽培に挑戦してみようと買ってきました。家に持って帰るつもりが、お正月のフラワーアレンジがちょうど枯れて寂しくなっていた実家の窓辺に置くことに。専用の花器はないので、ひとまず同じ色のピッチャーに入れてみたら後ろの壁紙とも雰囲気があって、小さいながらも存在感があってよい感じに収まりました。日本では年末頃からよく見かけるムスカリですが、北欧では水仙やパンジーと並んで、春を感じさせる花のひとつ。年が明けてからバタついた日々に、ムスカリでひと呼吸。

1/17

1/18

都バス開業の日

バスに乗って出かけよう

時間のある時は電車よりバスを利用したくなります。慣れ親しんだ東京の町も、バスの窓から見ると新鮮に感じますし、「お、この辺りは最近にぎわっているのかな」なんて発見もあります。旅先でも同じで、コペンハーゲンやストックホルムの町ではよくバスを使います。歩き疲れた時に乗って、休憩がてら町を眺めることも。ストックホルムは4番ルートがお気に入り。人気のショッピングエリアをはしごして、島と島をつなぐ橋から町を眺めることもできるのです。コペンハーゲンでは王宮や美術館の前を通って北へ抜ける1Aバス。最近はグーグルマップで路線がわかりますが、旅先から持ち帰ってきたバスマップを見ながらどのルートがいいかと考えるのも楽しいのです。

1/19

アイスランドウールの靴下

アイスランドでまた買いたいのがウールの靴下。アイスランドの羊毛を使ったものは本当に暖かくて、冷え性歴が数十年の私も感動するほど。日本ではなかなか見つからないのですが、毛糸なら取り扱いをしている店もあるので、編んでみようかしらと思うほど。レイキャビクのセカンドハンド店で見た手編み風の靴下のようにゆるっと、こんな感じなら編めるでしょうか。レイキャビクではしごしたセカンドハンド店はどこもおしゃれな内装で、アイスランド特産のセーター、ロパペイサを探すのにもおすすめです。

大寒

1/20

オレンジ色で雪かき

大寒の時期って、毎年東京でも雪が降りますね。窓から降り積もる雪を優雅に眺めているうちはいいのですが、うっかりそのままにすると大変。わが家の前は坂道で、雪かきをしておかないと危険なのです。凍った時にも使えるようにと、以前は重い鉄製のスコップを使って四苦八苦していましたが、友人がフィンランドから持ってきてくれた雪かきシャベルで状況が改善しました。ヘッド部分の幅があるので一度に大量の雪をかけて、先にはスチール製の刃がついているので凍った雪も砕けます。そしてとっても軽い。オレンジ色の持ち手も素敵な有能スコップはフィンランドが誇る〈フィスカース〉製。ハサミが有名ですが、ナイフや工具、そしてスコップもいいのです。

1/21

北欧テイストのニット帽

冬のおしゃれの楽しみといえばニット帽。鳥の編み込み模様の帽子は、富山を拠点に活躍するニット作家〈しずく堂〉さんのデザインで、編みもの上手の姉が編んでくれました。薄曇りの日が多く、冬は雪がたくさん降り、伝統工芸が盛んで、市内にはトラムのようなライトレールが走る富山は「フィンランドみたいな場所」と話すしずく堂さん。水色と黄色の配色が可愛い帽子も彼女のデザインで、北欧らしいモチーフがしずく堂スタイルで再編されるのがすごいなあといつも見ています。小さな四角を編みつなげた模様はスウェーデンに伝わるドミノ編みで、〈スタジオルンドベリー〉の屋号で活躍する日本の作家さんの作品。日本でしか手に入らない、お気に入りの帽子たちです。

1/22

アウトドア派でなくても

「天気が悪いのではない、服装が悪いのだ」とはノルウェーやスウェーデンで耳にすることわざ。確かに彼の地のアウトドアブランドといったら防水、防風、防寒の性能が抜群に高くて「そのとおりでございます」と返すほかありません。バックカントリースキーを楽しむアウトドア派の兄も、聞けば〈アクリマ〉や〈ノローナ〉などの北欧ブランドを愛用中で、私もノルウェーの伝統柄のネックウォーマーをプレゼントしてもらいました。アウトドア派でなくとも、メリノウールの肌着やウォーマーは重宝します。冬の北欧旅行にもかかせず、息するたびに肺が凍りそうな極寒の地を歩くと、アウターだけでなく肌着選びが重要だと痛感します。タイツに肌着、ネックウォーマーと気づけば全部ノルウェー製でした。

1/23

みかんでヒュッゲ

みかんを見ると、昔、ストーブの前で祖母と一緒に食べていたのを思い出します。大好きな祖母の隣にいたくて、食べてはまたすぐ次に手を伸ばしていたので「そんなに食べると黄色くなっちゃうわよ」と言われたことも。すじを取ってストーブの上に置いたら、焦げていいにおいがしたこと、そして叱られたこと。デンマーク語で心地よい時間を表すヒュッゲという言葉が注目されていますが、私にとってはストーブとみかんの時間がヒュッゲの原点。そういえばノルウェーでもクリスマスから新年にかけてみかんをよく食べるそうで、「クリスマスのみかん」と呼ばれています。暗く寒い時期、みかんの明るい色に癒やされる人もいると聞いて納得です。

1/24

ニコマンのはさみ

花を飾るのが好きなわりには長い間、園芸ばさみを持たずにキッチンばさみで間に合わせていました。「いいかげん買ってはどうか」と家人から提案され、東京・青山の〈ニコライ・バーグマン〉に立ち寄った際に勢いで買ってしまいました。宝石箱のように美しいフラワーボックスやアレンジメントで大人気のフラワーアーティスト、ニコライ・バーグマン。日本でもっとも有名なデンマーク人のひとりではないでしょうか。購入したのは、花も小枝もワイヤーも切れるアレンジメント用はさみ。力を入れなくてもスパッと切れてとても使いやすい！ ブランドに目がくらんで手を出してみてよかったです。ニコマンといえばニコール・キッドマンを思い出す世代ですが、ニコマンのはさみと呼んで愛用しております。

1/25

ひきたつ花瓶

服も食器も雑貨も、カラフルな物をついつい選んでしまいます。花を選ぶ時も同じで、色のある花に目がいってしまうのですが、たまには白とグリーンだけもいいですね。なんといっても花瓶がひきたちます。〈ケーラー〉の人気シリーズ、オマジオの花瓶は目を引くストライプ柄ながら意外とインテリアに合わせやすく、飾る花も選びません。でもやっぱり白オンリーで飾るとストライプがぐっと目立っていい！ ケーラーは、デンマークの家庭にはまず置いてあるといわれるほどの国民的ブランド。よりシンプルなデザインのハンマースホイシリーズの花器も使いやすく、サイズ違いで愛用しています。温かみのある陶の質感のせいか、和の空間とも相性がいいのです。

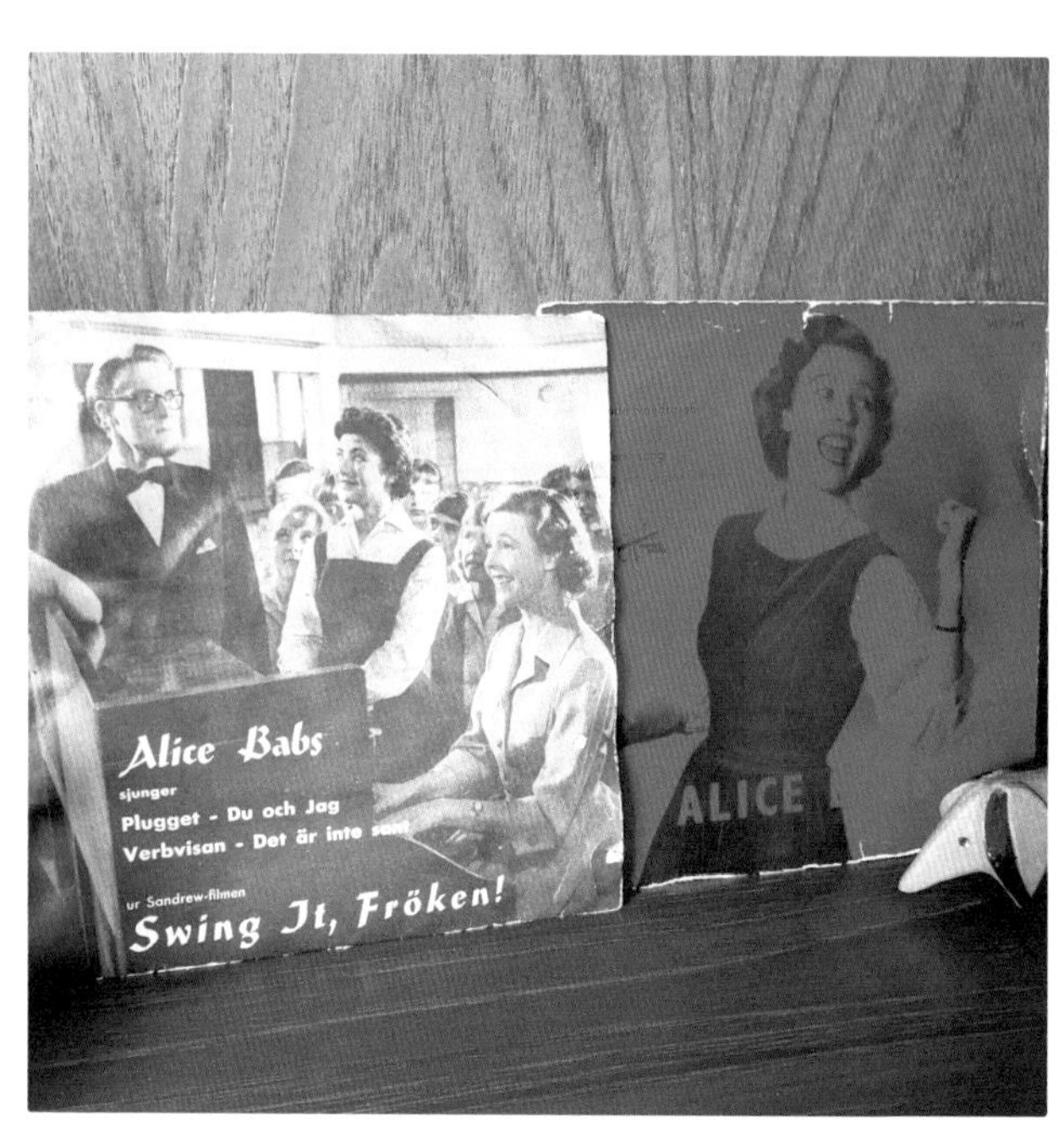

1/26

アリス・バブスの誕生日

アリスとスウィング

スウェーデンはジャズ大国。国外でも人気を誇ったミュージシャンは多く、なかでも当代随一の人気者といえばアリス・バブスでしょう。15歳でデビューしてまたたく間にスターとなり、晩年まで歌い続けたアリス。デューク・エリントンは彼女の声を「まるで楽器」と絶賛しています。ブルース、ポップス、ヨーデルとなんでも歌える天才ですが、彼女らしさを感じるのはスウィングジャズ。ジャズがふしだらなものといわれた時代から思うままに歌い、戦時中も歌い続けたアリスは当時の人々にとってナチズムからの自由の象徴でもあったのだそうです。1940年の映画『Swing it, magistern』は校長先生に目をつけられながらも、歌ってまわりを巻き込んでいく、アリスの人生のような物語。

1/27

ルイス・キャロルの誕生日

不思議の国のトーベ

さまざまな物語や創作のモチーフとなった『不思議の国のアリス』。摩訶不思議なキャラクターは多くの人に描かれてきましたが、ムーミンの作者トーベ・ヤンソンもアリスを描いています。明るく楽しいだけじゃないムーミン谷はルイス・キャロルの世界にも通じ、チェシャ猫やトランプの衛兵なんて、ひょっこりムーミン谷から出てきても違和感がありません。青いドレスに白いエプロンがトレードマークのアリスが、トーベ版ではリボンもエプロンもなしの素朴なスモック姿となり、キノコがアンズタケになったりと随所に描かれたトーベらしさを探すのも楽しいもの。この組み合わせは相性がよかったのか、謎の生き物スナークを追う奇想天外な物語『スナーク狩り』でも挿絵を描いています。

1/28

レゴの誕生日

レゴで北斎

大阪で夜の梅田を歩いていた時に思わず足を止めて見入ってしまったのが、阪急三番街の通路脇に展示されていたレゴ作品。この波はもしや葛飾北斎!? レゴで浮世絵！ と衝撃を受けながら解説を探したら、やっぱり三井淳平さんの作品でした。日本で唯一のレゴ認定プロビルダーで、ポケモンから世界遺産まで再現してしまうレゴの神。三番街のウィンドウでは大阪や関西にちなんだ作品が定期的に入れ替えて展示され、以前は箕面の滝や宝塚大劇場もあったとか（見たかった！）。そういえばレゴの故郷デンマークのコペンハーゲンにあるレゴショップでは、やはり観光名所のニューハウンの町並みや、衛兵の交代式が再現されているコーナーがありました。大阪発のご当地レゴ、次回の展示も気になります。

廊下の美術館

北欧の家ではよく壁に絵を飾っているのを見ますが、わが家はポスターが多いです。飾る場所がまだ決まっていなくても、サイズに合わせて額装しておくのが鍵。こうしておくと、ふと「あそこに飾ったらいいかも」とひらめくこともあります。手頃な価格でフレームを揃えている〈イケア〉のおかげで、額装するハードルはずいぶんと下がりました。とりあえず、こうして廊下に置いていたら、家に遊びにきた友人が「いいね」と写真を撮っていました。ヨーテボリの町を描いたリトグラフは、スウェーデンのアーティスト、モナ・ヨハンソン作。ヨーテボリは旅した中でもとくに好きな場所です。右はスウェーデンのビンテージテキスタイル。「コロナで旅にいけないし」と悶々としていた時にスウェーデンから買ってしまった1枚です。

1/30

冬キャベツの楽しみ

やわらかな春キャベツもおいしいですが、シチューなど煮こみ料理に使うならやっぱり冬キャベツです。北欧でキャベツ料理といえば真っ先に思い浮かぶのがノルウェーのフォーリコールです。ざく切りのキャベツと骨付き羊肉を煮込んだ料理で、味付けは塩とこしょう。シンプルながら味わい深く、農業食料省による調査では半数近くの人が国を代表する料理に選んだそうです。わが家でよく作るのはフィンランドのカーリラーティッコ。みじん切りのキャベツとひき肉を合わせ、さらにお米を入れて生クリームをかけたオーブン料理で、隠し味にはシロップをほんの少し入れて、食べる時にケチャップまたはジャムを添えることも。斬新な組み合わせに思えますが、これがなかなかおいしいのです。

1/31

もういちど見たい空

冬の北極圏では、トナカイやホッキョクギツネに会ったり、世界中の子どもから手紙が届くサンタクロースの部屋を見たりとめずらしい体験をたくさんしましたが、いつかもう一度見てみたいと思うのはピンク色の空。北極圏は冬になるとカーモスと呼ばれる極夜が訪れ、地平線より上に太陽が昇らない暗い時期がしばらく続きます。太陽が出るようになっても低い位置までしか昇らないため、昼の空も黄昏のような色に染まったり、太陽が沈む頃に反対側の東の空がピンク色に染まったりとこの土地でしか見られない空の色があります。飛行機の中から見えた空も、朝早くに山の中を散歩した時に見た空も見たことのない淡いピンク色。美しい朝焼けや夕焼けを見ると、あの空を思い出します。

2/1

梅春の季節

ブティックに勤める友人が「梅春ですね」と発信していて知ったこの言葉。冬の終わりから春の訪れまでの期間に提案する衣服のことで、素材はそれなりに厚手ながらも春らしい色づかいのものを指すのだそうです。服が売れない2月の閑散期を打開するべくアパレル業界から生まれた言葉で、確かに「梅春」なんて可愛らしい響きとともに明るい色の服が並んだらウキウキします。北欧ではイースターの気配が漂ってきたら、もう春モード。梅春どころか、ひらひらとした薄いブラウスや半袖が待ってましたとばかりに並びます。北欧にこそ梅春があればいいのに。この時期「寒かったら現地で調達」は叶わないことも多いので、旅する時には万全の防寒対策を。

2/2

メイド・イン・北欧

実家で片付けをしていた時に見つけたニット帽。学生時代からスキーを楽しんでいた父のものなんですが、編み模様がいいなあとよく見てみたらメイド・イン・スウェーデンでした。おもしろいことにブランド名は〈アイスランド〉。確かにこの編み模様はアイスランドのロパペイサの柄とも似ています。暖かいし、可愛くて、札幌オリンピックのピンバッジも付いたまま。これは捨てられないともらって帰ってきました。エストニアを旅した時に見つけたモスクワオリンピックのマスコットキャラクター、ミーシャのピンバッジを並べてつけてみましょうか。

2/3

アルヴァ・アアルトの誕生日

モダンデザインの父

北欧デザインを代表する建築家でありデザイナーのアルヴァ・アアルト。大国の真似ではなく、自国の自然や価値観を反映させたデザインはフィンランドのアイデンティティとなり、アアルトの設計した住宅や公共施設は人々の暮らしを照らしました。私もアアルトの建築に導かれるようにフィンランドを旅したひとり。なかでも好きなのはヘルシンキにある自邸と、ロヴァニエミにある図書館です。いつか行ってみたいのは、現在ロシア領となったヴィボルグの図書館。1998年に日本で開催されたアアルト展でヴィボルグの図書館の波打つ天井を見て、いつかフィンランドへ行きたいと思ったのが、私の北欧との付き合いの始まりでした。2020年から旗日となった誕生日を、わが家のアアルトコーナーでお祝いです。

2/4

立春

豆スープの日

子どもの頃は豆まきの後に歳の数だけ豆を食べられるのがうれしくて、おばあちゃんはいいなあなんて思っていました。大人になってみると、そんなに食べられませんわ、なのですが。フィンランドやスウェーデンでは毎週木曜日は豆スープの日。かつては金曜日が断食の日で、前日に滋養のあるものを食べる習慣がそのまま残ったそうで、給食や社食、レストランにも登場します。わが家でたまに作るのは、スウェーデンで食べた豆スープ。煮立てたブイヨンに豆とニンジンを半々で入れて、クローブとすりおろした生姜を加えて煮込んだら、ブレンダーで攪拌（かくはん）して塩こしょうで味つけするだけ。乾燥えんどう豆か、レンズ豆でもＯＫ。豆まきであまった豆もぜひ入れちゃってください。

2/5

ルーネベリの日

詩人が愛したお菓子

2月5日はフィンランド国歌の詞でも知られる詩人、ルーネベリの誕生日。この日、フィンランドのベーカリーやカフェには、甘いもの好きのルーネベリのために妻フレデリカが作ったと伝えられるお菓子、ルーネベリタルトが並びます。タルトといってもパウンドケーキのような食感で、クリスマスに余ったジンジャークッキーを再利用して作るお菓子なのです。この愛らしいお菓子とともに節約家の妻として知られたフレデリカですが、彼女もまた優れた文筆家であったことが、近年の研究で伝えられています。東京・荻窪にあるフィンランドカフェ〈キエロティエ〉のルーネベリタルトはジンジャークッキーから手作りするという力作。本場にまけないおいしさです。

2/6

サーミの日

サーミの日に思う

北極圏に暮らす、ヨーロッパ唯一の先住民族サーミ。独自の言語と文化をもち、伝統的にトナカイの放牧で生計を立ててきました。おみやげとしても有名な木製のカップ、ククサもサーミの生活道具で、北欧を旅していれば知らず知らず彼らの文化に触れているもの。愛用していた革のネックレスが、トナカイ革に錫(すず)の糸で細工したサーミの伝統工芸だと知ったのも北欧へ行ってから。かつては同化政策や迫害により苦しめられ、1917年にノルウェーの教会で開かれた会議で、禁じられていたサーミの言葉が正式に認められました。この会議にちなんで2月6日はサーミの日に。映画『サーミの血』は1930年代のスウェーデンを舞台としたサーミの少女の物語。暗い歴史に向き合いつつ、希望も感じさせる良作です。

2/7

インテリアの国の底力

毎年2月にストックホルムで開催されるインテリアフェアは、家具やテキスタイル、照明器具などのメーカーが一堂に会する北欧最大の展示会です。北欧の洗練されたインテリアを見て頭に浮かぶのは、スウェーデンの教育者エレン・ケイ。子どもの権利や女性の生き方に関する書籍で知られますが、住まいについての興味深い考察も残しています。ケイが強調していたのは、美をみつける目を養えば誰にでも美しい暮らしができること。美は贅沢とは違うということ。「住まいの美」と題されたケイの論文には趣味のよい部屋を作るための具体的なノウハウが記され、いま読んでも参考になるアドバイスが1世紀以上も前に書かれていたことに驚きます。北欧のデザインとともに、ケイの言葉や考えも伝えていきたいと思うのです。

2/8

北欧の春を告げる鳥

暦の上ではうぐいすの声が聞こえる時期。スウェーデン語には春を告げる鳥にまつわるGökotta（ヨークオッタ）という言葉があります。この時期に早起きをして朝いちばんに鳴く鳥の声を聴きに森へ出かける、そんな習慣を指す言葉です。スウェーデンで春を告げる鳥といえばカッコウやヒバリ。またヨークオッタの時期に森を歩くと「西洋のうぐいす」とも呼ばれるサヨナキドリの美しい声も聞けるとか。フィンランドの蚤の市で見つけた歌集には、春を告げる鳥の曲がいくつも載っていて、どの国でもやはり春を告げる鳥を待ちわびる気持ちは変わらないのだなと思ったものです。

闇も影も映す映画祭

毎年2月になると足を運んでいた北欧映画祭「トーキョーノーザンライツフェスティバル」。東京・渋谷で10年間にわたり開催され、『サーミの血』や『バレエボーイズ』など印象に残る作品や、ここでしか観られない1本にもたくさん出会いました。北欧の映画は社会を映し出す鏡でもあります。移民の視線を通した北欧の姿、福祉大国の裏側で孤立している人々、爽やかな青春映画かと思いきや苦い結末を迎える物語。忘れられない作品、忘れたくても忘れられないトラウマ映画にも出会いましたね。おしゃれなインテリアやしあわせの国といった一面だけではない北欧を知ることができた映画祭。北欧の冬と映画祭のムードを描いた田中千智さんによるポスターも毎年楽しみでした。いつかまた復活してほしい！

2/10

ふとんから出たくない日は

アイスランド発の絵本『さむがりやのスティーナ』には寒い冬、外になんか絶対に出たくない女の子のスティーナがおうちで快適に過ごすためのあの手この手のユニークなアイデアと発明が、可愛いイラストとともに綴られています。原題を直訳すると「大きなふとんのスティーナ」という意味。でも実際のところ北欧で分厚い掛けぶとんって見た記憶がないのですよね。あちらはセントラルヒーティングや暖炉のおかげで室内はぽかぽか。家の断熱効果も高く快適な温度が保たれているので、ぺらぺらのふとんでも案外と平気なんです。大きなふかふかのふとんにくるまって、寒い冬の朝にベッドから出たくないスティーナの気持ちは、日本の私たちの方がよくわかるかもしれません。

2/11

建国記念の日

日本に学び、北欧に学ぶ

コペンハーゲンにあるデザインミュージアム デンマークで開催された「ラーニング・フロム・ジャパン」展。日本から熱い眼差しを向けられる北欧デザインの背景に日本の芸術や工芸の影響があったことを紹介する展示は、両国の外交関係樹立150周年となる2017年に向けて企画されたもの。〈レ・クリント〉のランプシェードが折り紙をヒントにしたこと、〈ロイヤル コペンハーゲン〉が浮世絵に影響されて動物を描いたことなど、つながりを知るとデザインへの興味や愛着も増します。2017年、日本ではデンマークデザインの礎を築いたメーカーとデザイナーを再評価する企画が東京・新宿のリビングセンターOZONEで開催されました。アニバーサリーの年はこうして充実の企画が登場するので楽しみです。

2/12

ジャンプ台を飛んだ聖火

北緯61度の町、リレハンメルでのオリンピックは世界最北の地での開催となりました。日本チームはノルディック複合団体が悲願の優勝を手にした一方でジャンプ団体が惜敗。フィギュアスケートでは注目のトーニャ・ハーディング選手が出場とドラマの多いオリンピックでした。人口わずか2万人ほどの小さな町での開会式も話題となり、なかでも聖火がジャンプ台を駆け上ってジャンパーとともに宙を飛び、最終ランナーのホーコン王太子へと受け渡された演出には驚くばかり。その様子はオリンピックの公式サイトで見ることができます。ちなみにカウベルを使っての応援は、リレハンメル大会から一気に広まったそう。蚤の市で見つけたリレハンメルのカウベルはいい音がしますよ。

2/13

母の日、いちばん乗りの国は？

ノルウェーの母の日は2月の第二日曜日。世界でいちばん初めに母の日を迎える国なのです。セーブ・ザ・チルドレンの調査による「お母さんにやさしい国ランキング」でたびたび1位になっているノルウェー。その背景には父親の育休取得率も関係しています。1993年にノルウェーが世界に先駆けて導入したパパ・クオータ制度は、育児休暇の一定期間は父親にしか取ることができないとしたもの。大臣も率先して取得するなど「取らなければ損ですよ！」と国をあげて推奨し、その動きは他の国々へ広がっていきました。お母さんをサポートする制度にもいちばん乗りだったというわけです。動物の母子が描かれた絵皿は、ノルウェーの〈ポルシュグルン〉が作っていた母の日のプレート。

2/14

バレンタインデー

誰が誰にあげてもいいんだよ

これは昔々、私が製菓会社向けに考えたキャッチコピー。当時は本命チョコやら義理チョコやら、とにかく女性は男性にチョコレートを贈らねばならぬという風潮で、自分なりの抵抗も込めたコピーだったのです。フィンランドではバレンタインデーは「友達の日」。友人同士でカードや手紙を贈り合い、毎年1月下旬にはバレンタインデー向けの切手も発売されます。コロナ禍では、孤立しがちな高齢者や障害者のために「友達でなくともカードを贈りませんか?」とキャンペーンが展開され、まさに「誰が誰にあげてもいいんだよ」を地で行く国なのでした。写真の切手は人気イラストレーターのアンネ・ヴァスコがいろいろな動物たちの友情を描いたもの。

2/15

国際小児がんデー

子どもの病院を楽しく

スウェーデンには『長くつ下のピッピ』の作者、アストリッド・リンドグレーンの名を冠した小児病院があります。先進的な医療で知られるカロリンスカ大学病院の一部で、リンドグレーンの物語を反映させたかのような遊び心あふれるインテリアや、遊びを通して治療を理解するセラピーなど、子どもの視点に立ったケアは世界の医療関係者に注目されています。リンドグレーンと並んで北欧を代表する児童作家のトーベ・ヤンソンはフィンランドの小児病棟のために絵を描きました。埼玉県にあるムーミンバレーパーク内の展示エリアでは、その壁画を再現した絵を見ることができます。ムーミンの物語には登場しない人間の子どもの姿もあり、病院で過ごす子どもたちに温かなエールを送っているかのよう。

＊埼玉県飯能市 ムーミンバレーパークコケムスの階段にて。

2/16

リトアニア独立記念日

リトアニアの日本人

バルト三国のなかでもっとも南に位置するリトアニア。隣国ポーランドとは歴史的に関わりが深く、ロシアやドイツなど大国に翻弄されながらも1918年2月16日に完全独立を果たしました。リトアニアでもっとも尊敬を集める日本人は、外交官の杉原千畝。第二次世界大戦直前にカウナスにある日本領事館に赴任し、ユダヤ系ポーランド人に日本通過ビザを発行して6千人もの国外脱出を助けました。カウナスの領事館はのちに杉原千畝記念館となり、一般公開されています。リトアニア料理といえばビーツを使ったピンク色のスープ。大使館を訪れた際に伝統の味をいただきながら館内の杉原千畝氏のコーナーも見学させてもらいました。カウナスの記念館はコロナ禍により存続が危ぶまれているそうで寄付を募っているとのこと。

2/17

かまくらの明かり

雪国育ちではない私にとって、かまくら遊びは憧れでした。北欧では雪と氷だけで作るスノーホテルが毎シーズン各地にできますが、あれも思えばかまくらの一種ですね。フィンランド北極圏の町レヴィで訪ねたスノーホテルはひと部屋ごとに内装が異なり、神や魔女が彫られた部屋もあれば、サウナ小屋を模した一室もありました。館内にはレストランやバーもあって、氷のグラスでお酒を飲むこともできます。でも何より心をつかまれたのは、ベッドや廊下にともった明かりの美しさ。雪や氷に映る明かりって、なぜあんなにも幻想的で美しいのでしょうね。秋田や新潟で行われているかまくら祭りも、ぜひいつか訪れてみたい催しです。

2/18

雨水

潤いの雨

春の雨って、ほっとします。乾燥していた冬が終わって、土がしっとり潤って、春の芽吹きも勢いづきそう。フィンランド語では3月を大地の月と呼ぶのですが、だんだんと雪がとけて大地が再び見えるようになるからそう呼ばれるのだとか。雪の季節が終わり、降る雨にも春の訪れを喜ぶ気持ちは、二十四節気の雨水の名称からも感じられます。出かける予定のない雨の日は天窓の近くに腰掛けて、雨が窓を打つ音を聞きます。あんまり激しい雨だと落ち着きませんが、穏やかな雨の音は心地よいもの。読書をしたり、執筆も案外とはかどります。

レモン仕事

2/19

庭のレモンが今年も豊作。あっという間に大きくなり、うかうかしていると酸味が抜けて味がぼけてしまいます。わが家のレモンの木は日当たりがよいのか、毎年大きな実をたくさんつけます。料理やお菓子では使いきれないので、皮をむいて焼酎につけて、果汁は別途絞って冷蔵保存。レモン酒は夏にサワーで飲むことが多いですが、クローブやカルダモンで香り付けしてもおいしいのです。三寒四温で風邪をひきそうだなと思ったら、果汁にはちみつを入れてホットレモネードに。北欧ではレモネードにベリーを足すこともあり、ビタミンたっぷりでそれも風邪に効きそうです。

2/20

枝もの、どう飾る?

いつも行く花屋さんで、春のおすそわけといただいた木瓜(ボケ)の枝。この時期、梅や桃の花もいいけれど、木瓜もいいですね。ウキウキと持って帰ってきたものの、さあどう活けたらいいものか。困った時には、アアルトベース。真っ赤なバラもワイルドフラワーも、花数が少なくてもなんとか格好がついてくれるアアルトベース。しかしさすがに長かった。枝もの用に、背の高いシュッとした花瓶があるといいなと思いつつ、今年は結局このまま愛でました。

2/21

国際母語デー

母語を誇りにするために

少しの間、スウェーデン語を習っていたことがあります。きっかけはジャズシンガー、モニカ・ゼタールンドの映画『ストックホルムでワルツを』でした。ジャズの本場アメリカの真似事でない、自分のスタイルでジャズを歌いたいと模索していた主人公はスウェーデン語で歌詞をつけて歌うことを思いつきます。モニカの代表曲であり、映画の主題歌となったのが『歩いて帰ろう』の題で知られるスタンダード曲。夏を迎えるストックホルムの美しさを讃える歌詞が添えられた曲を、歌えるようになりたかったのでした。言語は自分らしく生きる軸となるもの。スウェーデンでは移民の子どもには母語を学ぶ権利があり、希望すれば自治体や学校が教師を探してくれるそう。移民と共生する国らしい施策だなと感心します。

2/22

猫の日

旅する猫たち

仕事机のまわりにいる猫たちです。陶製の猫の置物はデンマークからの贈り物。石の猫も同じく、小さな友人がデンマークの海で見つけた石に描いて手作りしてくれたものです。ペン立てのカバーは手先の器用な姉の手作り。にょきっとそびえたつぬいぐるみは、石垣島にあるお店〈FREE FOWLS〉が作っているイリオモテヤマネコ。旅のおともにと作られ、売上の一部は絶滅危惧種であるイリオモテヤマネコや沖縄の動物たちの保護活動をするNPO法人に寄付されています。綿がみっちり詰まっていて自立できるイリオモテヤマネコ。クールです。

2/23

天皇誕生日

気さくなロイヤルファミリー

2019年に行われた徳仁天皇の即位礼正殿の儀には、北欧各国からも王室の人々や大統領が参加して注目を集めました。エストニアのケルスティ・カリユライド大統領(当時)は、公共交通機関で移動する気さくさが話題に。気さくといえば徳仁天皇は皇太子時代に訪問されたコペンハーゲンで、一般市民からの自撮り撮影に笑顔で応じられた様子が「新しい皇室の姿」と報じられていました。デンマーク王室のマルグレーテ女王は自ら買物に出かけたり、タバコを吸う姿もたびたびキャッチされるなど、気さくさで有名。1972年の即位以来、国民に親しまれる女王です。

2/24

エストニア独立記念日

織って編まれるエストニア

2月24日はエストニアの独立記念日。独立から100年目となる2018年にエストニアを旅する機会がありました。第二の都市タルトゥにある国立博物館では、エストニアを代表する手工芸作家アヌ・ラウドさんの「父なる大地」展が開催され、100周年によせて織られたタペストリーをはじめ、この国の歩みを凝縮したような作品を目にすることができました。アヌさんといえば愛らしいあみぐるみも人気で、ミュージアムショップでかろうじて残っていた最後の2匹をわが家へ迎えました。胴体に編みこまれた柄はエストニア各地の伝統パターンで、子どもが遊んで学べるようにと作られたのだとか。アヌさんの作品が多数収蔵されているヘイムタリ美術館はいつか訪れたい場所のひとつ。

2/25

薄氷を踏んでも

春を表す季語といえば雪解け、そして薄氷。北欧では冬になると湖や海までもが凍ってしまい、その上を歩いたり、スケートをするのも当たり前です。そして春が近づくと毎年のように「薄くなっていた氷に気づかず落ちた人が出ました」とニュースが流れます。ノルウェー映画『ハロルドが笑う　その日まで』では、喧嘩をした初老の男性2人が揃って氷の割れた湖に落ちるシーンがあるのですが、落ちてもそのまま喧嘩を続けていたのには驚くやら笑うやら。日本語には「薄氷を踏む思いで」という表現がありますが、その危機感や不安さは、北欧の人々にはそれほど伝わらないのかもしれません。

ここにもそこにもネコヤナギ

2/26

イースターの時期に訪れた北欧の町では、卵や羽根飾りをつけたネコヤナギをあちこちで見かけました。お菓子屋さんに並ぶケーキにはぷっくりとした花芽が描かれ、ネコヤナギって可愛いんだと気づきました。東京・奥沢の大好きな花屋さん〈ラ・ブーケットリー〉ではピンク色のネコヤナギを発見。なんて可愛い！と見とれていたら「子どもの頃、フワフワの部分を毎日撫でてあったためると猫になるって教えられて、ずっと信じて撫でていたというお客様がいらして」と微笑ましいエピソードまで聞かせてくれました。これは撫でたくなるし、猫にもなりそう。しかし買って帰って数日後には雄しべが現れて、猫ではなく毛虫のような姿になりました。でもそんな姿も、北欧では絵やテキスタイルに描かれています。ネコヤナギへの愛が深いんだなあ。

スポーツ休暇にすること

北欧の国々では2月から3月にかけて、1週間ほどの冬休みがあります。スキーやクロスカントリーを楽しむ人が多いのでスキー休暇とも呼ばれています。「スキーを履いて生まれてくる」といわれるのはノルウェー人。冬季オリンピックではいつも圧倒的な強さを見せつけていますよね。それまでは移動手段だったスキーをスポーツとして楽しみ、距離やジャンプを競うようになったのはノルウェー発祥なのだそう。1950年代から60年代にフィンランド国鉄が作った観光ポスターには、スキー旅行に出かけようと呼びかけるデザインがたくさん。レトロで可愛いイラストはポスターやポストカードにも復刻され、密かにコレクションしています。

2/28

カレワラの日

フィンランドの精神

19世紀にまとめられたフィンランドの叙事詩『カレワラ』は、文学や芸術に大きな影響を与え、独立の後押しをしたといわれます。フィンランド人の精神と結びつく神話的な物語は、スカンジナビア諸国にとっての北欧神話のような存在にも思えます。フィンランド人の考え方を知るには、ことわざの本もおすすめ。大ヒットコミック『マッティは今日も憂鬱』のマッティが紹介することわざの数々には、笑いがこみあげてくることもあれば、妙に親近感を感じてしまう一節も。コロナ禍で旅にいけない日々、北欧への理解を深めようと手に入れたのはスカンジナビアのことわざ集。北欧のなかでも民族ルーツの異なるフィンランドと、ことわざでその違いを比較するのもおもしろいです。

2/29

うるう日

うるう年にはプロポーズ

4年に一度のうるう日。その昔ヨーロッパでは「この日だけは女性からプロポーズをしてもいい日」とされ、もし男性が断る場合には罰金を払うか、女性に絹のドレスを与えなければいけない決まりがあったとか。おもしろいのは絹のドレスがフィンランドでは「スカートを作れるだけの生地」となり、デンマークでは「靴下12足、または手袋12組」と手頃になっていくんですね。さすが庶民的、実用重視のお国柄といいましょうか。私だったらやっぱり生地がいいですね。できればストックホルムの生地屋さんで選ばせてほしい！

歴代の北欧製カレンダー。季節の行事や生活道具が描かれています。

3/1

愛しのセムラ

シュークリームのような見た目だけれど、見た目よりもずっしりと重くて食べごたえのあるスウェーデンの菓子パン、セムラ。ファットチューズデーやマルディグラと呼ばれる告解の火曜日がセムラの日です。パン生地にアーモンドクリームとホイップクリームを挟んだハイカロリーな組み合わせなのは、もともと断食に備えて食べるものだったから。他の北欧の国々にも同様の菓子パンがありますが、スウェーデン人のセムラへの愛情は格別。最近は日本でもじわじわと知名度を高めつつあるセムラですが、わが家は毎年、神奈川・逗子のスウェーデン菓子専門店〈リッラ・カッテン〉からお取り寄せしています。抹茶や桜味などスペシャル版もあり、私はいちご入りがお気に入り。

3/2 アイスランドのおやつ

スウェーデンではセムラですが、イギリスではパンケーキを食べる告解日。クレープのような薄い生地で手軽に作れるアイスランドのパンケーキをご紹介しましょう。薄力粉45g、砂糖10g、ベーキングパウダー3g、塩ひとつまみを混ぜておく。牛乳165mlと卵1個、溶かしバター15gを混ぜ合わせ、粉類の中へ注ぎ、ダマにならないよう混ぜる（粉類の入ったボウルに液体類を入れるとダマになりにくい）。フライパンを中火で温め、おたまですくって薄く広げ、表面がぷつぷつとなったらひっくり返す。両面を焼いて、できあがり。クリームとベリージャムをのせて茶巾絞りにしたり、砂糖をまぶしてくるくる巻くのがアイスランド流。

3/3

ひな祭り

わが家のひな祭り

わが家のひな飾りは、会津で見つけた漆塗りの人形。子どもの頃はひな壇に並ぶ人形たちが怖くて、自分ではきっと飾ることはないだろうと思っていました。でも会津漆器の老舗、〈鈴木屋利兵衛〉で会ったつるりとモダンな面立ちに惹かれ、このサイズならと手に入れることに。官女やお囃子の代わりにはリサ・ラーソンの小さなライオンと猫を従えて。自分にはハードルが高いかも、いまの家には合わないかもと思っていた日本の伝統がこんな形でよみがえったのもうれしく、毎年飾るのが楽しみなのです。

3/4

ミシンの日

ミシンで縫うもの

洋裁はできませんが、ミシンでだだだーっと直線縫いだけはします。クッションカバーやカーテンの上下を縫ったり、簡単なトートバッグを作ったり。ごくごくシンプルな機能で、デニムや革など厚めの生地も縫えるミシンを探して中古で手に入れたのがスイス製の〈ベルニナ〉のミシン。本当に快適にまっすぐ縫いができるのです。しまいこんでいた〈マリメッコ〉の生地でバッグを作ろうと思い立ち、裏地にあわせる生地をどれにしようと広げていたら、この有様。北欧テキスタイルの強い色や柄に負けない、でもぶつかりあわない、手頃な布地はないかと探して出会ったのが会津木綿です。糊付けした糸で織り上げてから洗いにかける製法により生地に凹凸ができ、無地でも風合いがあるのです。この肌触りが愛猫ウニにも気持ちいいのか。いえ、広げると座るのが猫ですね。

3/5

かもめの季節

掛け軸のようなこのテキスタイル。デンマークの友人からもらった1枚なのですが、季節はいつ頃だろう？場所はどこだろうね？とおしゃべりがスタート。岩場のある海辺、船長の着ているニットの雰囲気からノルウェーかな？との結論に。ニットを着ているということは冬？いやいや、ノルウェーの冬はニット1枚では過ごせないし、海も凍っているはず。初夏や初秋でもニットを着るし、かもめがたくさん飛んでいるから6月か7月頃？いや、南から戻ってきたかもめの声に春を感じるという話も聞いたことがある……と推察は止まらず。デザイナーのサインやメーカー名のないテキスタイル。どんな背景から生まれたか、わが家にやってきてからも時折あれこれ想像しています。

3/6

啓蟄

光が透けるカーテン

古いこの家に暮らしてから、四季の移り変わりをより感じるようになりました。窓や建具からはどうしても隙間風が入りますし、暖かくなれば虫も寄ってきます。そうした季節ごとの悩みもありますが、朝起きて「あ、そろそろ春だ」と体で感じられるのは、本能を少し取り戻したような気がしてうれしいもの。春を感じたら、リビングのカーテンを替えます。冬の間に使っていた濃い色のカーテンを外して、ネコヤナギが描かれたスウェーデン製のカーテンに。朝ごはんを食べながら、カーテンから透ける光が日に日に明るくなるのを見ていると「春だ、春だ」と気分も前のめりになります。春が来たと思っていたのに、まだまだ寒い！と服は冬物に戻ることもよくありますが、カーテンはもう戻しません。

3/7

サウナの日

サウナに必要なもの

フィンランドやスウェーデンを旅する時は、時間を見つけてサウナでリフレッシュしています。北欧のサウナは日本に比べると温度が低めで、時間をかけてじんわりと汗をかきます。そのあと湖や海にドボンと飛び込むのが本当に気持ちいい！　私の好きなサウナはスウェーデン第三の都市マルメにあります。海に突き出すように作られたサウナ場で、夏はもちろん冬も、いえ冬こそ冷たい海の中へ入るのが気持ちいい。凍りそうなほど冷たい水に入るのは一瞬ためらいますが、繰り返すうちに徐々に慣れて、水からあがってしばらくすると体中を血がめぐって体はポカポカ、頭はシャッキリするのです。日本に戻ってもお風呂の後は水風呂や水シャワーがすっかりお約束に。温泉でも水風呂に入るのが楽しみになりました。

3/8

国際女性デー

かっこいい女性たち

女性の功績を称え、女性の権利と平等な社会について考える国際女性デー。北欧のかっこいい女性といえば作家のトーベ・ヤンソンやリンドグレーン、教育者のエレン・ケイ、〈マリメッコ〉の創業者アルミ・ラティア、デザイナーのグレタ・プリッツ・キッテルセン……と枚挙にいとまがありませんが、最近になり注目を集めたのが19世紀に生まれたスウェーデンの画家ヒルマ・アフ・クリントです。長らく美術史から無視されていた存在ですが、カンディンスキーに先駆けて抽象画を描いていたのではと、その再評価は美術史を揺るがす事件となり、映画にもなりました。日本公開時に配給の〈トレノバ〉さんが作ったパンフレットも美しく、ヒルマの作品をいつか生で見てみたいものです。

ありがとうの日

3/9

タックとキートス

北欧はどの国も英語が通じるのですが、「ありがとう」はそれぞれの国の言葉で伝えるようにしています。フィンランドをのぞく4カ国は綴りは少し違うものの「タック」。スウェーデン語がTack、デンマーク語はTak、ノルウェーとアイスランド語がTakkと綴ります。フィンランド語は「キートス(Kiitos)」。ちょっと丁寧に言いたい時にはスウェーデン語が「タック ソ ミッケ」、デンマーク語が「マンゲ タック」、ノルウェー語が「トゥーセン タック」、アイスランド語が「タック フィリー」。フィンランド語は「キートス パルヨン」や「キートクシア」。各国のサンキューカードを集めているのですが、北欧でお世話になった人たちには日本のサンキューカードを贈ります。

クリスマスローズの物語

3/10

実家からもらってきたクリスマスローズ。この時期に咲くのになぜクリスマスローズ？　バラ科じゃないのになぜクリスマス？　いろいろと謎の多い花です。北欧では、クリスマスローズ属の中でも12月下旬に咲くものだけをクリスマスローズと呼び、それとは区別してキリスト教の四旬節（レント）の時期にあたる2月頃から咲く品種をレンテンローズと呼ぶそうです。だからこれはレンテンローズなんですね。世代を超えて読み継がれる各地のクリスマスの話が収録された『世界のクリスマス伝説』には、スウェーデンのセルマ・ラーゲルレーヴによるクリスマスローズの物語が載っています。映画を一本見たかのような感動を残す物語は、北欧の厳冬にもめげずに咲く力強い花だからこそ生み出せたのかもしれません。

3/11

東日本大震災

会津を通じて考える

この日は毎年、「東日本大震災ふくしまこども寄附金」に寄付をしています。義父母の故郷だったことから縁ができた福島。足止めされていた義母を見舞いに、震災1カ月後に訪れた会津若松では、被災者の方が温泉街で避難生活を始めていました。他の地域より被害が少なかった会津では食事や避難所を提供していたのです。おなじみの酒蔵を訪れたら「いま来てくれてありがたい」と歓迎され、まずは買って食べて応援せねばと思い至りました。曲げわっぱや手編みのかごなど質のよい木製の工芸品があり、おいしい乳製品、漆器や木綿など日常を彩る美しい道具があって北欧と通じる部分もある会津。ここの人と暮らしとものづくりも伝えていきたいと思うようになり、3月11日、いま自分にできることはなんだろうと改めて考えます。

3/12

春を告げる雪の花

レモンの木の下にひっそりと生えていたスノーフレーク。すずらんのような釣鐘形の可愛らしい花は、北欧でも春を告げる花のひとつです。庭で花を見つけたすぐ後に、南スウェーデンに暮らす友人が同じスノーフレークの花を森で見つけたと写真をＳＮＳにアップしていてちょっとびっくり。北欧とは開花時期のずれがあると思っていたからです。春を告げる花を、同じタイミングで見ていたとは、なんだかうれしい。スウェーデンではスノーベルの名前で呼ばれているそうです。スノーフレークよりも少し早く咲くのがスノードロップ。同じく鐘のような形で頭を垂れた姿を模して、デンマークの〈レ・クリント〉は同名の照明を作っています。

3/13

黄色が増える

イースターが近づくと部屋のなかに黄色を増やしたくなります。春の光や生命を感じさせる黄色はイースターのメインカラー。イースターエッグやひよこをはじめ、この時期に町を歩けば黄色い花やデコレーションがたくさん目に飛び込んできます。北欧の人々にとってイースターはクリスマスや夏至祭と並ぶイベント。冬がいよいよ終わって、明るい春への期待をこめて準備にいそしむのです。黄色いガラスのピッチャーとシュガーボウルはフィンランドの〈リーヒマエン・ラシ〉のもの。いまはなきガラスメーカーですが、デザイナーのナニー・スティルがデザインしたシリーズは根強い人気があり、私も大好き。シュガー&クリーマーとして使うよりも、こうして小さな花を活けたり飴を入れたり。卓上にあるとうれしくなる器です。

3/14

桜餅の色

塩漬けにした桜の葉の味が子どもの時には苦手でしたが、いつの頃からか薄いピンクの桜餅を見かけると、つい手が伸びるようになりました。日本の季節や自然を反映した和菓子の繊細さに気づけるようになったのも大人になってから。練りきりやお団子と一緒に並んでいると、桜餅のツヤツヤとした少し透明感のあるピンクはどこかモダンに見えます。桜餅を入れているのは、スウェーデンで買ったビンテージのソーサー。シュークリームなど洋菓子を入れてもいいですが、和菓子にも合うんですよ。

3/15

いちごの季節

2月下旬からいちごが並ぶと、せっせと買い求めて毎日のように食べます。旬の味は安くておいしい時に食べるべし！とは北欧を旅してからより強く思うようになりました。それにしても北欧の人々のいちごへの思いの強いこと。7月にかけて旬の時期にはあちこちにいちごの屋台が立つのですが、どの国でも「SUOMI（フィンランド）」「DANSK（デンマーク産）」と国産であることがアピールされ、「うちの国のいちごがいちばん」とみな主張して譲らないんですよね。いちごを買ってきたら入れるのはいつもこの器。1パックがちょうど、こんもりと入ります。

3/16

ディルを植える

北欧料理にもっとも大事なハーブといえばディル。オープンサンドや魚料理、スープなど出番の多さでは断トツです。わが家ではクリーム仕立てのスープに入れることが多く、余ったらオムレツやパスタ、ドレッシングに入れたり、魚のフライにぱらりと散らせば北欧風の味わいに。日本では生のディルは安くないのが悩みです。そこでついに庭にディルを植えることに。植えたことを忘れるくらいの雑な管理でも、たくましく育ってくれました。ディルがたっぷり手に入った時のおすすめレシピは、ディルペースト。バジルペーストと同じ要領で、松の実やオリーブオイル、にんにく、粉チーズと一緒に攪拌（かくはん）します。冷蔵庫に常備しておけばいつでも北欧風味が楽しめますよ。

3/17

大掃除は春に

北欧の国々では春が大掃除の季節なのです。雪が解け始めると、雪に埋もれていたゴミや埃が一斉に出てきてしまうし、暗い冬が終わり明るい時間が長くなると窓の汚れも気になるというもの。お家での掃除にも力が入るわけです。わが家でも網戸を洗ったりの大掛かりな掃除は春。洗濯物の乾きが早くなるこの時期、マットや毛布も一気に洗濯してしまいます。ノルウェーでは、やってくる行楽シーズンに先駆けて森や海辺など自然をきれいにしようと、3月中旬に国をあげての大掃除の日があります。専用サイトのマップを見ると、どこで清掃活動をしているかがわかり、近所のスポットに参加するという仕組み。家の中だけでなく自然も大掃除しちゃおうという心意気、さすがです。

3/18

春の青いガラス

春めいてくると、ガラスの花器を使いたくなります。デンマークの〈ホルムガード〉のガラス器は、じつはアイスペール（氷を保管しておく容器）なのですが、もっぱら花瓶として使っています。薄いブルーのガラスが涼しげで、青や黄色の花が映えます。テーブルセンターも色を合わせて、スミレらしき花が描かれた1枚に。スミレやヴィオラは北欧でもとくに親しまれている花。フィンランドの〈アラビア〉やスウェーデンの〈ロールストランド〉からはヴィオラの名がついた器も作られています。

3/19

彼岸

お彼岸とイースター

春のお彼岸は春分の日を軸として期間が決まります。イースターも移動祝日で「春分の日の後の、最初の満月の、次の日曜日」となっています。お彼岸には墓参りをするものですが、キリスト教でもプロテスタントの国々ではイースターに墓参りをする習慣があるそう。春の訪れを感じるこの時期に、先祖を敬う習わしが共通しているのは興味深いですね。北欧では、お墓でキャンドルを焚いて故人を偲びます。日本だと仏前やお墓で火を灯すのは、お線香のため……。そう思っていましたが、火を灯すこともお供えになると知りました。お墓参りにすぐ行けない時は、せめてもの気持ちをこめて家でキャンドルを灯します。

3/20

国際幸福デー

しあわせの国って本当?

「北欧って本当にしあわせの国なんですか?」とはよく聞かれる質問。旅をするか働くか、どんな立場にいるかで見える景色は違うもの。専門分野とともに暮らしを伝える在住者の声を聞いてみませんか。

デンマークのさわひろあやさん《図書館司書の経験を活かし、北欧社会を映す絵本の解説をnoteで掲載》。ノルウェーの真木彩衣さん《焙煎士としてコーヒー事情に詳しく、街歩きのガイドブックも出版》。フィンランドの島塚絵里さん《テキスタイルデザイナーとして活躍する傍ら、著書やSNSで暮らしを発信》。スウェーデンの明知直子さん《デザイン誌への寄稿のほか、〈スウェーデンハウス〉のサイトでは子育てコラムを執筆中》。アイスランドの小倉悠加さん《音楽事情に精通し、ツイッターでの定点観測も楽しい》。

3/21

世界ダウン症の日

ふぞろいの靴下で

3月21日は世界ダウン症の日。この日は左右異なる靴下をはいて、人と違うことは素晴らしい！とメッセージを伝える「ロック・ユア・ソックス」が世界中で行われます。このキャンペーンはスウェーデンの少女の声をきっかけに生まれました。ダウン症の姉をもつナティアは10歳の時に左右違う靴下で登校しようと学校で呼びかけ、その試みはスウェーデン中の学校に浸透していきました。いまでは世界に広がり、試合中にアピールするプロスポーツ選手もいます。せっかくなら目立つ靴下で参加したいもの。日本でも人気の〈ハッピーソックス〉にはカラフルな靴下が揃っていて、ニシン缶やピッピなど個性的な柄もあります。リトアニアのサステイナブルな靴下ブランド〈ŪKAI〉の靴下は、もとから色違いのペアでした。

わが家の壁紙改革

北欧の家を訪ねると、壁紙づかいが上手で憧れます。スウェーデンでは住宅政策の一環として1975年に「壁紙リフォーム」改革がスタート。公営住宅でも壁紙の張り替えなど簡単なリフォームが認められ、持ち家でなくても好みの空間が作れるよう後押しをしたのです。壁紙ひとつで居心地が変わるって、本当です。わが家の寝室では、押入れだった場所の奥に壁紙を貼ったら雰囲気のある空間になりました。スウェーデンの〈ボラスタペーター〉の壁紙で、ずっと憧れていた柄なのです。ミッドセンチュリーのデザインを復刻させた壁紙のシリーズは日本でも〈トミタ〉が取り扱っています。一面に貼るだけでも部屋が生まれ変わりますよ。

＊北欧の協力関係を定めたヘルシンキ条約が締結された日。

3/23

ノルディックデー

手をつなぐ北欧

時にライバルでありながら、基本的には同志として手を組む。北欧5カ国の協力関係は世界でもめずらしいなといつも思います。1950年代の北欧デザインブームも、各国のデザイナーや関係者たちがスカンジナビア（北欧）デザインとして世界にアピールしようと手をつないだのが成功の鍵。北欧とひと括りにしては見えなくなる部分もありますが、福祉や教育モデル、男女平等への積極性など共通した価値観をもつのも事実。日本でもフェイスブックには5カ国大使館共通のアカウントがあり、大使が揃って記者会見をしたりと足並みを揃えています。北欧と日本の文化交流を目指すノルディック・トークスは5カ国の大使館が持ち回りで仕切っているイベント。ユーチューブでも見られますよ。

3/24

イースターの花

年末年始のヒヤシンス同様に「これがないとイースターが始まらない！」のが黄色い水仙。スウェーデンやデンマーク、ノルウェーなどスカンジナビアの国々では水仙はポースケ（またはポースク。イースターの意味）リリー、つまりイースターのユリと呼ばれています。明るい黄色はイースターのメインカラー。日が長くなり、光あふれる季節にこの花が窓辺やあちこちに飾られているのを見ると、気温はまだまだ冬並でも一気に春がやってきた気分に。わが家では水仙の描かれたイースターの布を愛用中です。

3/25

ワッフルの日

ハートのワッフル

ノルウェー人はワッフルが大好きで、各家庭にワッフルメーカーがあるといわれるほど。日本で人気のある四角いベルギータイプとは違ってハートが連なった形が特徴で、ノルウェー式ワッフルにのせるのはロンメと呼ばれるサワークリームのような乳製品とベリーのジャム。ロンメは日本では手に入らないのでわが家では水切りヨーグルトで代用しています。ノルウェー特産のブラウンチーズもワッフルのトッピングの定番で、ブラウンチーズは日本でも買えるので、ぜひお試しを。……とここまでノルウェーの話ばかりしましたが、3月25日をワッフルの日としているのはスウェーデンです。スウェーデンは食べ物の日を作るのが大好きなのです。

3/26

サマータイムが始まる

一時は撤廃の話も出ていたサマータイム。日本では慣れないこの仕組み、旅先で重なると列車や飛行機の時間を間違えて、あわやと肝を冷やすことがあります。北欧はアイスランド以外の国がサマータイムを実施。3月末から10月までの間、1時間前倒しとなり日本との時差は7時間（フィンランドは6時間）に。こちらの夕方3〜4時が、あちらの朝9時となる計算です。日本にいるともうひとつサマータイムのよさが感じられないのですが、北欧のように季節で日照時間が著しく異なる地域では、太陽の出ている時間を有効に使いたくなるのもわかります。仕事の後も有意義に使えるはず……いや、そもそも残業は少なく、余暇は存分に楽しむお国柄ですけれどね。

3/27

絵本週間

絵本を額装する

不敵な笑みをたたえる猫の絵は、スウェーデンの絵本作家エルサ・ベスコフの『ちいさなちいさなおばあちゃん』からの1ページ。この作品はベスコフのデビュー作で、1世紀以上も前の1897年に発表されています。どのページもイラストが丸い縁取りの中に描かれていて、絵画のよう。そのイラストを活かす額装をしていたのは、北欧の絵本を扱う鎌倉・極楽寺の〈エラマブックス&ヌノジ〉。このアイデアがとても気に入ってもう1枚、同じ絵本からのイラストを額装してもらい、連作のように飾っています。一緒に手に入れたピッピのページは、どんな額に入れようかと思案中。

3/28

1ダースのひよこ

わが家のイースター飾りといえば、これです。フィンランドで見つけた小さなひよこたち。イースターエッグのかたわらに、カフェやベーカリーのショーウィンドウに、はたまたイースター用ギフトのラッピングにもちょこんとあしらわれ、卵のように12羽を箱にぎゅっと詰めて売っていたのにも笑ってしまいました。ドクムギと呼ばれる細長い草を鉢で育てて、その間に置いて飾るのが現地では一般的のよう。わが家では唯一、猫たちに狙われない玄関の窓辺に。以前、本棚の上に飾っていたら愛猫ウニが降臨し、全員なぎ倒されてしまったのでした。

休みには犯罪小説

3/29

ノルウェーではイースター休みにミステリを読むのが定番です。イースターが4月1日のエイプリルフールに重なった1923年のこと。新聞に「ベルゲン行き列車略奪事件」の見出しが踊ったのですが、これが新刊の広告だったのです。小説はよく売れて、そこからポースケクリム（イースターの犯罪小説）の習慣が始まったそう。私が最初にはまった北欧ミステリは、スウェーデンの「ミレニアム」シリーズ。デンマークなら「特捜部Q」、アイスランドは「エーレンデュル捜査官」シリーズ、最近では『1793』を一気読み。あれ、肝心のノルウェーミステリは未読でした。「翻訳ミステリー大賞シンジケート」サイトの連載「ほっこりしない北欧案内」では各国のミステリ小説やお国柄について解説してあり、次に読む作品の参考にしています。

3/30

北欧をデザインする

映画のパンフレットをはじめ、本の装丁や展覧会まわりのデザインまで手がける人気のグラフィックデザイナー、大島依提亜さん。アキ・カウリスマキの作品やトーベ・ヤンソンの本など北欧関連の仕事も多く、スウェーデンの夏至祭を舞台にした話題のホラー映画『ミッドサマー』のポスターは、監督はじめ海外のファンからも大絶賛されていました。「デザインは翻訳みたいなもの」とインタビューで語られているのを読み、だから日本向けになっても、原作の世界がスッと伝わるのかと思いました。ムーミン展のチラシはよく見ると「展」の字の中にムーミンがいるのです。世にムーミングッズは多々あれど、これぞ日本でしか出会えないムーミンではありませんか。

3/31

春の雷

春の嵐といえば、雨や落雷がつきもの。そして北欧神話の雷神といえばトール神。アメコミではソーの名前で知られ、弟のロキとともに人気のキャラクターです。北欧神話の資料となる詩篇『エッダ』や散文『サガ』はアイスランドで編まれ、レイキャビクの町中にはオーディンやフレイアなど神々の名前を冠した通りもあります。曜日の名前は北欧神話に由来していて、火曜日は戦いの神チュール、木曜日はソー。水曜日はオーディンで、スウェーデン語やノルウェー語のonsdagという綴りを見るとつながりがわかりやすいですね。個性的な神々についてじっくりと読んでみたい方におすすめはパードリック・コラム著、尾崎義訳の『北欧神話』。わかりやすい語り口で、複雑な神話の世界をのぞくことができます。

4/1

エイプリルフール

真顔でふざける日

エイプリルフールにはメディアも大真面目に嘘を報じる北欧。たとえばデンマークでは「警察のサイレンの青色を、国旗に合わせて赤に変えました！」とか。スウェーデンでは「オーランド島が流されてこっちに向かってます！」とか。フィンランドでは「かもめが警察に入隊しました！」とか。半世紀前は大掛かりなネタも多かったようで、アイスランドの新聞は「レイキャビクと西岸を結ぶニュータイプの飛行機が登場」とバスの車体に翼をつけただけの〝機体〟を掲載。ノルウェーの新聞は「ワインの樽が大量に届いたので激安で販売。瓶不足のためバケツを持参のこと」と報じて大行列ができたとか。北欧は酒税が高いので免税店がよく激混みしているのですが、バケツ片手に駆けつけたみなさん、がっくりきたでしょうね……。

*ノルウェーではお酒は国の専売制。公営の専売店でしか買えません。

4/2

アンデルセンの誕生日

切り絵でデンマーク

クリスマスの飾りにしたり、モビールにしたりと北欧で親しまれてきた切り絵細工。かのアンデルセンも切り絵が得意で、生まれ故郷のオーデンセにあるアンデルセン博物館には、「本当にこれが切り絵?」と目を凝らしたくなるほど精巧で美しい切り絵が多数収蔵されています。わが家のトイレに飾っているのはコペンハーゲンの町をモチーフにした切り絵。コペンハーゲンに暮らしていたアーティストの作品で〈ファミーユ・サマーベル〉というブランドから出ています。人魚姫の像、アンデルセンも訪れたチボリ公園、〈ルイスポールセン〉の照明やヒュッゲな風景などデンマークを象徴するモチーフがちりばめられ、見るたび発見のある楽しい1枚なのです。

聖なる枝飾り

イースター時期に見る羽根飾りをつけた枝は、エルサレムに入城したキリストが枝で歓迎されたことにちなんで飾られるようになったもの。イースターの1週間前の日曜日は聖枝祭と呼ばれ、キリストの受難を忘れないようにと枝でお互いを打ち合う習わしもあります。聖書に書かれた枝はナツメヤシですが、北の国にはヤシが生えないことからロシアやフィンランドではネコヤナギ、スウェーデンでは白樺などが使われるようになりました。スウェーデンの友人はクリスマスツリーを再利用。家にある植木鉢に羽根飾りをあしらったり、あるもので作るのでもいいようです。

4/4

あんぱんの日

カルダモンあんぱん

年に何度か、パン作りが得意な友人と一緒にパンを販売するイベントをしています。ライ麦パンやシナモンロールなど北欧スタイルのパンも登場し、最近のヒットはカルダモンあんぱん。あんことカルダモンの相性が思った以上によいのです。他にも「本場のシナモンロールはふんわりというより、みっちり、もそっとした食感だから」とスコーンで再現するのはどうかと提案したら、これまたおいしい仕上がりでした。フィンランドには食を通じて交流しようと始まった「レストランデイ」なるイベントがあるのですが、移民や留学生が母国の味を作り販売していることも。友人とはいつか本場のレストランデイに参加して、ジャパニーズ北欧パンでひと儲けしようと目論んでおります。

4/5

清明

花よりウコギ

わが家の生け垣はウコギで、食べることができます。棘があり密に茂るウコギは生け垣にちょうどよく、新芽の部分は食べるとおいしいのでかつて上杉鷹山が奨励したのだとか。北欧でも昔は飢饉に備えて庭でじゃがいもや根菜など食べられる植物を育てるよう奨励されていました。土地が豊かとはいえない北国に通じる知恵ですね。毎年3月には新芽が出て、あっというまに茂り、育ちすぎるとおいしくありません。芽をつんだら根本の袴をひとつひとつ取り除くのがひと手間ですが、細かく刻んだ鶏肉と一緒に醤油と酒、みりんで甘辛く味付けしておいて、ご飯にまぜたウコギご飯はわが家の春の味。

4/6

アバの日

ポップス大国

1974年のこの日、ヨーロッパ各国の代表が出場する大音楽祭「ユーロビジョン・ソング・コンテスト」で優勝したのがアバ。アバがこれまでに全世界で売ったアルバム枚数はなんと約4億枚にものぼるそう。ネットフリックスの番組「ポップスの進化」にはアバの成功に始まり、スウェーデンがいかにしてポップス大国になったかを追う回があり、メンバーのベニー・アンダーソンへのインタビューや、ユーロビジョンで優勝した時の様子も映像で見ることができます。私の好きなアバの曲は「ザ・ウイナー・テイクス・イット・オール」。あの切ないメロディがたまらない。番組では「スウェーデン産ポップスにはなぜ切ない名曲が多いのか?」の理由も解き明かされています。ストックホルムにはアバ・ミュージアムもありますよ!

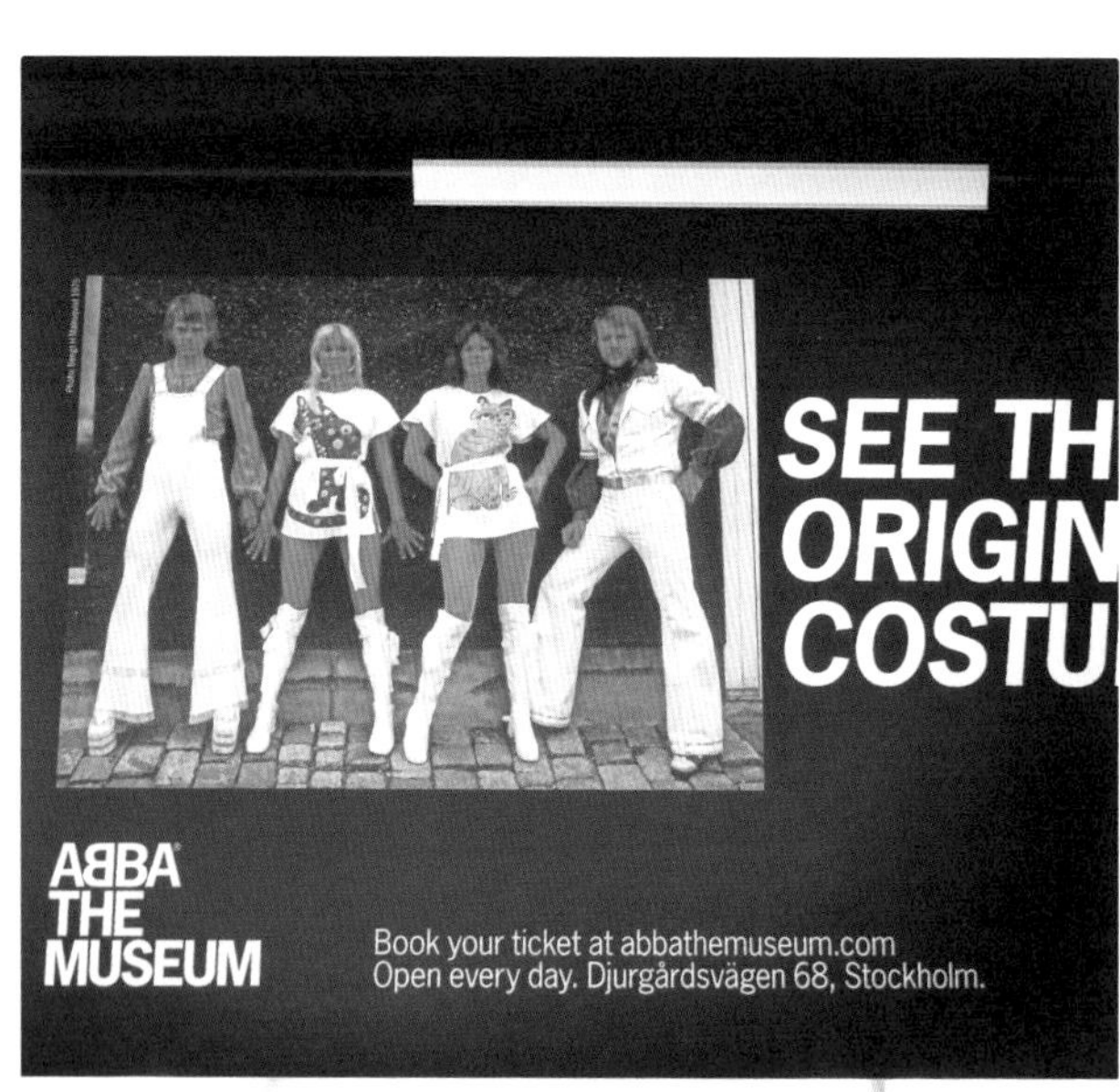

4/7

咲いた咲いた

入学式の花といえばチューリップ。チューリップを見ると大人になっても思わず「咲いた〜咲いた〜♪」と口ずさみたくなります。チューリップがぎゅっと並んで描かれ、咲いた咲いたと歌いたくなるような楽しい絵柄のプレートは、スウェーデンの〈ゲフレ窯〉で作られたもの。デザイナーのヘルマー・リングストロムは、他にもチューリップを思わせるハートの花や、デイジーの花がぐるりと描かれた心踊るデザインを残しています。もっぱらパスタを入れるのに使っていますが、本日の仕上げには庭のディルをぱらり。グリーンの縁取りとも相まって、華やかになりました。

4/8

イースターの布

日々の暮らしや四季の行事が描かれたビンテージの北欧テキスタイル。クリスマス柄があるように、ひよこや卵が描かれたイースターの柄もあります。派手な色づかいが目を引くニワトリ柄は、スウェーデンの人気テキスタイルデザイナー、ウッラ・ショーイェルのデザイン。どこかユーモラスな彼女の絵柄が好きで、いいなと思って手に取った布に「ULLAS」と彼女のサインを見つけることがたびたびありました。正方形の布はこうして、ひし形にかけて使うとサイズをあまり気にせず使えます。黄色いカップも春先に使いたくなる器。立体的に描かれた花は、スウェーデンの国花イトシャジンでしょうか。イースター時期に来客があると、ここぞとばかりにイースター柄や黄色づくしでおもてなし。

ヨックモックの日

4/9

ヨックモック・ブギ

〈ヨックモック〉のシガールは子どもの頃の特別なお菓子。くるくる巻かれたクッキーを歯ではがしながら食べるのがお約束でした。ヨックモックとはスウェーデンの北極圏にある町の名前。創業者の藤縄氏は、そこで食べた素朴なお菓子に感銘を受けて社名にしたのだそうです。わが家では海外へのおみやげの定番で、ハイカラな缶のデザインと個包装のお菓子に感激されること多々。スウェーデンとの外交関係樹立150周年には大使館とのコラボでフィーカセットも提供し、まさに日本との架け橋に。スウェーデンには『ヨックモック・ロック』という曲もありまして、ブギウギの時代に人気を博したピアニストの演奏で有名。「イギリス人が紅茶を飲むように、ヨックモックではロックンロールを踊ってる！」と素っ頓狂な歌詞の楽しい曲です。

＊フィーカとは、コーヒーと甘いものでひと息つく時間のこと。

4/10

教科書の日

北欧デザインの教科書

仕事机からすぐ手をのばせる棚に置いているのは、北欧デザインの教科書のような本たち。北欧デザインといえば島崎信先生です。1958年から王立芸術大学研究員としてデンマークに滞在して北欧デザインの黄金期を見た生き証人であり、個々のデザインに精通するだけでなく俯瞰的に北欧デザインを捉えることのできる方。ジャズという大きな文化を的確に捉えた評論家の油井正一氏は「アメリカのジャズメンは油井正一がいることを幸福に思わなくてはいけない」と称賛されましたが、北欧デザインにおける島崎先生の存在もまさにそうだと思います。デザイナーたちと実際に交流した氏ならではの生き生きとしたデザイン解説を日本語で読むことができるのは、本当に幸せなこと。

4/11

朝ごはんのプレート

北欧で友人の家に滞在すると、楽しみなのが朝ごはん。平日の朝はパンとチーズ、ヨーグルトにコーヒーなど簡単なメニューが一般的。ノルウェーの友人は卵料理やパンケーキなどフライパンを使う料理は「週末だけね」と話していました。デンマークの友人宅ではモーニングブレッドと呼ばれる丸いパンやバゲットなど小麦の白いパンに、かたまりのチーズを自分でスライスしてのせていただきます。ちなみにチーズスライサーはノルウェーの発明で、北欧の友人たちはみなスライスが上手。わが家にもあり、時々使うのですがなかなかあれほどうまく使えません。

4/12

タイルの日

和製タイルでアアルト風

わが家の浴室のタイルはよく「フィンランドっぽい!」と言われるのですが、日本製。水色の細長いタイルは岐阜県多治見の〈日東製陶所〉で作られているスワンタイルです。タイル選びに迷いに迷っていた時、建築士の友人に連れられて行ったショールームで出会いました。横でなく縦に貼ったらアアルトっぽいなあ、とイメージが膨らんで即決。「いまどきはユニットバスが主流だからタイルを貼るのはめずらしいよ」と左官屋さんがおもしろがりながら作業をしてくれました。4月12日はタイルの日。敷瓦や化粧煉瓦とさまざまに呼ばれていたのがタイルの名称に統一された日です。

北欧のおいしい味

4/13

北欧の輸入食材を扱う〈アクアビットジャパン〉から注文の品がどーんと届きました。わが家でよく買うのはニシンマリネ数種（とくにマスタード味が好きです）、ノルウェーサーモン、アイスランドの骨付きラム肉やソーセージ、スウェーデンのオーガニックジャム（ブルーベリーとリンゴンベリー）、そしてノルウェーのチーズ。ニシンやサーモン、チーズは来客時にも重宝しますし、骨付きラム肉はイースターやクリスマスなどお祝いの食卓に。年に何度かセールもしているので、冷凍庫や食材庫に余裕がある時はジャムやニシンを多めに買いだめしておきます。

4/14

ヤッファの誕生日

オレンジ色の人気者

フィンランドを旅する時に買わずにはいられないのがヤッファ。1949年から販売されている炭酸飲料で、グラフィックデザイナーのエリック・ブルーンが1950年代に作ったラベルはいまも現役です。〈フィンランド航空〉や〈ファッツェル〉など国を代表する企業の広告も手がけたブルーンのデザインを、もっとも身近に楽しめるのがヤッファ。スーパーマーケットやキオスクにも並ぶおなじみの味で、ブルーンのイラストが描かれた自動販売機を見つけた時には感激してしまいました。日本で開催されたフィンランドデザイン展ではブルーンのイラストを使ったグッズがいろいろ販売されていたのですが、昔のヤッファのポスターデザインを使ったクリアファイルはいまも愛用中。

4/15

世界芸術の日

身につけるアート

アートとプロダクトの境界線ってどこにあるのでしょう。ポストカードだって額に入れて飾れば絵のようだし、日常使いのグラスにも彫刻作品のように美しいものがあります。フィンランドの陶芸作家ヘイニ・リータフフタが作るチャームを使ったヘアゴムも、私にとってはアート作品。フィンランド語で「コル・ナッピ（ジュエリーボタンの意味）」と名付けられ、ひとつとして同じものはありません。アートのようなジュエリーと言えば、山本亜由美さんのブランド、〈マーダーポーレン〉もそう。植物や自然を思わせる有機的なデザインの大ファンで、年に数回のポップアップイベントはアートの展覧会に行く気分で足を運んでいます。〈マリメッコ〉や北欧ブランドの服との相性もとってもよいのです。

4/16

デンマークの誕生会

コペンハーゲンに暮らす友人夫妻に、2人合わせて150歳のお祝いをするからいらっしゃいと招かれ、出席する気たっぷりで旅の準備を進めていたのですがコロナ禍であきらめることに。なんとか日本からお祝いの気持ちを贈りたいと思いついたのは、デンマークのバースデーソングを歌うこと。デンマークでは子どもの誕生日に「オーレの誕生日」と呼ばれるバースデーソングを歌うのが習わしで、歌のあとはHurra（バンザイ）と3回唱えて祝うのです。バンザイ三唱とはなんだか親しみを感じますね。発音がうまくできたかはともかくメロディとバンザイだけはマスターして、お祝いの席に欠かせないデンマーク国旗の飾りとともに録画をして送ったところとっても喜んでくれました。ちなみに4月16日はデンマーク女王のお誕生日。

太陽で光る猫

4/17

テラスで過ごす時間が長くなる時期、重宝しているのが〈イケア〉で購入した太陽発電で灯るランプ。床置きもできて、枝やフックにひっかけることもできるのでキャンプなどアウトドアでも使えます。丸い穴が空いた形状は光の拡散の仕方もおもしろく、子どもの頃に遊んだスピログラフを思い出しました。ピカピカ光る丸に愛猫ホタテも興味津々。そういえば腕時計やガラスが反射して壁にあたる光が猫は大好きですが、あれのことをスウェーデン語では「Solkatt（太陽猫）」と言うのだそうです。

まったりフライデー

ストックホルムで人気の花屋さんのインタビューを読んでいて「金曜日の花束」という言葉があることを知りました。週末は人を招いたり、家でゆっくり過ごす人が多いので、花束を買って帰る人が多いのだとか。金曜日はタコスの日でもあります。ディナーは手軽にすませて、家族みんなでのんびりテレビを見たり、ボードゲームをしようというわけです。お隣のデンマークには「金曜日のヒュッゲ」という言葉があって、やはり金曜日は早めに家に帰ってヒュッゲに過ごすのがお約束なのです。ですから、もし北欧の人々に連絡を取りたい時には金曜日は早めの時間が吉。オンオフをはっきりさせている彼らは、金曜の午後はきっちり早めに切り上げてしまうからです。

4/19

穀雨

パパに食べさせたい山菜

暖かくなり、地面からにょきにょきと飛び出してくる草木の芽の様子を「生まれたてのムーミントロールの耳のようにシワシワ」と評したのはムーミンパパ。詩ごころがありますよね、パパは。春先に八百屋に並ぶ、こごみという山菜を見るとパパの言葉を思い出します。北欧でも自生しているシダ植物ですが、食べているところを見たことはありません。モダンノルディック料理の店では山菜も好んで出すので、こごみもいけそうなんですけれど。〈ロールストランド〉のアマンダというシリーズの柄がこごみみたいだな、と思っていたのですが、アマンダはバラの別名でもあるそうです。バラだったのか……。

4/20

ジャムの日

ジャムとはちみつ

旅のおみやげについ買っては荷物を重くしてしまうジャム。北欧へ行き始めた頃は、リンゴンベリージャムの大瓶をいつも買って帰っていました。ファーマーズマーケットで見つけたりんご農園のジャム、地元の人気食材店のジャムなど一期一会の味もありました。はちみつもご当地ものを見つけると手が出てしまい、荷物はまた重くなってしまうのでした。〈アクアビットジャパン〉でリンゴンベリージャムを扱っていると知った時にはあんなに大変な思いをしなくてよかったのねと苦笑い。スウェーデンのオーガニックベリーを使ったジャムはわが家の常備品となりました。エストニアのはちみつも日本で買えるようになり、うれしい限り。ハーブティーに入れてもおいしいんですよ。

4/21

レイキャビクと苔の色

あまりお化粧はしないのですが、ネイルアートは大好き。ペールトーンやアーシーな色が得意な〈THREE〉のネイルポリッシュが好みで、毎シーズン新色をチェックしてしまいます。ある年のコレクションはアイスランドがテーマ。苔むす大地をイメージしたカーキ、火山を思わせる深い赤、温泉の湯気のような水色など発想やネーミングも絶妙で選ぶのが大変でした。ノーザンライツ（オーロラ）やレイキャビクと名付けられたアイライナーもあり、それまで買ったことのなかったリキッドアイライナーにも初挑戦。そういえば長く使っている〈バイオエフェクト〉の美容液はアイスランド生まれ。私の数少ない、リッチな美容アイテムです。

4/22

アースデー

アースデーに観る映画

カーボンニュートラルやSDGsにもいち早く取り組んできた北欧諸国。スウェーデンの環境活動家グレタ・トゥーンベリさんは気候変動への意識を世界的に高めるきっかけを作り、2019年のデンマークの国政選挙では、気候変動が大きな争点となって政権交代も実現しました。アイスランド映画『たちあがる女』は、北欧5カ国の代表作から選ばれる北欧理事会映画賞もみごと獲得した、おすすめの一本。地球のために闘う主人公ハットラの行動には、人権と同じように地球や自然にも権利があるべきではないかと考えさせられます。そして彼女を守るアイスランドならではの大自然の神秘に、地球は生きているんだと圧倒されます。

4/23

北欧音楽をディグる

最近は音楽を聴くのはもっぱらストリーミング頼り。スポティファイに落ち着いたのですがスウェーデン発だったんですねえ。便利なのがラジオ機能で、好きな曲やアーティストを選択しておくと、それを軸に自動的に好みの音楽がかかります。他の配信サービスでも使える機能ですが、スポティファイの選曲センスがいい。おかげでインディーズ系バンドにたどり着けたりと音楽の世界が広がりました。よく聴くのはスウェーデンが誇るジャズシンガーのアリス・バブスとモニカ・ゼタールンド。現代ならヨーテボリのバンド、リトルドラゴンやノルウェーのアーランド・オイエのボーカルも好みで、来日もしたトロンボーンプレーヤー、グンヒルド・カーリンのパワフルな演奏も大好きです。

駆け込みいちご

そろそろいちごの季節も終わりになってくると、駆け込みとばかりに2~3パックを買い込んでたくさん食べます。北欧の人たちは夏にいちご狩りに出かけて、バケツやかごにいっぱい、何キロもとってきてジャムやジュースにして冬の間も楽しむといいますが、わが家でも生で食べきれない分はジャムにします。煮すぎずに、適度に形が残っている方が好みで、ヨーグルトにかけて食べたり、さらにつぶして牛乳をかけて食べたり。砂糖をかけてレンジでチンの即席ジャムも手軽でおすすめ。フィンランドのジャムポットやノルウェーの器に入れて、今年のいちご欲を満たします。

4/25

桜の名所は？

「日本を旅するなら、どこへ行きたい？」と北欧で友人たちに尋ねると、口を揃えて言うのが桜の名所。日本は桜の国なのです。北欧でも桜を楽しめる場所はたくさんあり、たとえばストックホルムの王立公園は有名な桜の名所。ヘルシンキにはキルシッカ（桜）公園があり、レイキャビクにあるチョルトニン湖のまわりには日本から贈られた桜の木が植えられています。開花は例年4月中旬から5月にかけて。関東の開花時期とはおよそ1カ月ほど差がありますね。4月下旬に訪れた会津では、遅れて咲くという喜多方の日中線しだれ桜並木や、美里町にある伊佐須美神社の桜が見頃でした。北欧と同じ頃に咲く桜の穴場、友人たちに教えたら喜ばれそうです。

4/26

イケア悲喜こもごも

〈イケア〉には収納などの大物から、鏡やゴミ箱などの小物までお世話になっています。北欧の映画やドラマを見ていると「あの収納はうちと一緒だ」「あれもイケアの照明だ」と目が利くようになってしまいました。ノルウェー映画『ハロルドが笑う その日まで』はイケアの進出により廃業に追い込まれた家具店主が、イケアの名物創業者を誘拐し、反目しあいつつも心を通わせるコメディ調ながら考えさせられる物語。イケアといえば青と黄色ですが、フィンランドのエスポーには世界でたったひとつの白いイケアがあります。地元の人々から「必要ない！」「青い外壁なんて！」と猛反発が出て出店までに30年の時を要し、例外中の例外として白い建物となったのでした。映画を彷彿とさせるイケアエピソードです。

4/27

掃除派と整頓派

部屋をきれいにする、とひと口に言っても掃除をして空間を清潔に保つ派と、物を整理整頓して散らからないようにする派がいて、掃除好きのドイツ人は前者なのだと聞いたことがあります。だからドイツには洗濯機や洗剤など優れた掃除用品も多いのだと。これまで訪ねてきた家を見る限りでは、北欧の人たちはどちらかといえば後者。見せたい物としまう物の線引が上手で、物をしまう場所が決まっていて、収納家具や見せる棚のバリエーションも充実しているように思います。掃除でピカピカにしなくても、整えることで居心地をよくするスタイルに、私も1票です。

4/28

世界彫刻の日
（4月最終土曜日）

いつか欲しい彫刻

いつかお金持ちになったら……手に入れたいのはアイスランドの彫刻です。レイキャビクにあるアートギャラリーで見た猫の彫刻は、新進彫刻家マティアス・シグルドゥソンの作品。猫や狐、神話に出てくる不思議な生き物を創作テーマにすることが多く、とくに猫の彫刻は作るとすぐ売れてしまう人気ぶり。このギャラリーはもともとアイスランドが誇る彫刻家アウスムンドゥル・スヴェインソンのアトリエ兼住居だった場所で、現在はアートギャラリー兼カフェとして気軽にアートや彫刻に触れられる空間となりました。近くにはアイスランド初の彫刻家といわれるエイナル・ヨンソンの美術館もあり、レイキャビクを旅する時はここで朝を過ごすのが好きなのです。

4/29

タオルの日

タオルも部屋の一部です

浴室をリノベーションしてから、タオルも一新しました。洗面所の扉を開けるとすぐ目に入るタオルもインテリアの一部だな、とタイルの色をじゃましない落ち着いた色味に揃えることにしたのです。レンガをイメージしたという格子柄は、〈マリメッコ〉の創業者アルミ・ラティアによるデザイン。この柄が好きでテーブルクロスも持っているのですが、浴室のタイルとの相性もぴったり。他にもタイルに合うかを基準に、セール時を狙って買い足しています。マリメッコのバスタオルは毛足短めで、ふわふわではない、ちょっと固めの質感がよいんです。

4/30

初夏のコットン

猫がここで寝るようになったら春の終わりを感じます。少し前までは、肌触りの暖かなソファや毛布の上で寝ていたのが、シャリッとした〈マリメッコ〉のクッションの上へ移動している。これがもう少し暑くなると床や土間にべろりと寝そべるのです。母とフィンランド旅行をした時に、マリメッコの生地を触りながら「こういう綿生地に憧れてた」と繰り返し話していたのを思い出します。そういえば子どもの頃に家庭科の授業で使ったコットン生地は、どれも薄くてやわらかだったような。このシャリッとパリッと感が、暑くなってくるこの時期に猫たちにも好評なのかもしれません。春の終わりに咲く牡丹にも似ているマリメッコのバラの上でスヤスヤ。

アトリエにもマリメッコの布と、お気に入りのポスター、照明を。

5/1

メーデー

メーデーに行きたい場所

コペンハーゲンで過ごしたメーデーはちょっとしたお祭りのようでした。もともと5月1日は春の訪れを祝う日で、町の北側にある大きなフェレ公園を訪れると移動遊園地や出店が並んで大にぎわい。広場では大勢の人がピクニックを楽しんでいて、スタジアムではライブ演奏も。時々まじめな演説もあり、後で友人に尋ねたら「あれは首相だよ」と聞いてびっくり。1世紀以上前に労働者が8時間労働を訴えに集ったのがこの公園で、それ以来、メーデーには労働組合や政治家によるスピーチが行われているそうです。ワーク・ライフ・バランスが整っているといわれるデンマークですが、労働者による闘いがあってこそ、なのですよね。

5/2

伊豆高原で北欧アシモ

ゴールデンウィークに伊豆高原で開催されていた友人の個展へ遊びにいきました。売出し中の別荘をギャラリーにしてアート見学も物件内覧もできるというおもしろい試み。日本の民芸品やマッチ、切手など日常のものを使ったユニークな作品のなかに北欧のアシモを発見……！　作者は〈現代美術二等兵〉さん。リーゼントのだるまや缶詰リングなど笑わずにいられない作風が大好きなのですが、まさかの北欧ネタ。うん、どことなく〈カイ・ボイスン〉的です。ムンクとコラボした起き上がり小法師はノルウェーの美術館で販売されていましたが、デンマークのデザインミュージアムのショップでぜひ売って欲しいですねえ、スカンジナビアン・アシモ。

5/3 笠間の焼き物市にて

わが家で出番の多い北欧の食器は〈ロールストランド〉や〈イッタラ〉のもの。ビンテージが多く、いまはなき〈ウプサラ・エクビー〉や〈スタヴァンゲルフリント〉の器も愛用しています。いまではすっかり北欧食器の割合が増えましたが、それ以前に愛用していたのは笠間焼。父の友人が移住して陶芸をやっている縁で、ゴールデンウィークに開催される陶炎祭（ひまつり）へ毎年のように出かけていました。地元の陶芸作家や窯元が出店するお祭りのような陶芸展で、B品や特価コーナーもあるので普段づかいの器を選ぶのにちょうどいいのです。来客時に活躍する大皿、おかずも盛れる片口、茶碗などここで手に入れた器たちはいまも現役。北欧の食器とも意外と合わせやすいんですよ。

5/4

ワンダフル・コペンハーゲン

町中を歩くカモの親子のために、警官が交通整理をしている微笑ましい絵柄のポスターは、母が若かりし日に手に入れたもの。子どもの頃からこの絵が好きで、結婚の際に母が持たせてくれた時は飛びあがるほどうれしかったものです。インテリアを彩るものなどほとんど持っていなかったので、この絵があるだけで部屋らしくなった！と喜びました。初めての北欧旅行でデンマークのフューン島へ立ち寄った際に観光局で同じポスターを見つけて感激。そうだ、あの絵の国を旅しているんだと、その時につながりました。5月4日は第二次世界大戦下でデンマークを占領していたナチスドイツが撤退した日。この日の夜は窓辺にキャンドルを灯して自由と独立を取り戻した喜びを思い出すそうです。

5/5

こどもの日

鯉のぼりが欲しい理由

仕事で日本に滞在していたスウェーデンの友人が帰国する際に「あの魚の形をした飾りを持って帰りたい。どこで買えるかな」と相談してきたのは、鯉のぼりのことでした。「あれは、男の子のお祝い用でね……」と慌てて説明しましたが、スウェーデンの人たちは魚モチーフが大好き。鯉のぼりを欲しがるのも無理はないと納得してしまいました。スウェーデンの家で、季節構わず鯉のぼりがはためいているのもおもしろいかもしれないと思いながら、友人にはひとまず「本物は結構、値が張るからね」とだけアドバイスをしておきました。

5/6

立夏

庭でリモートワーク

外で過ごすのが気持ちいい時期は積極的にテラスにテーブルを出します。〈イケア〉で購入した丸いガーデンテーブルは折りたたんでしまえるのも便利。北欧家庭でおなじみの丸いテーブルクロスをここぞとばかりに取り出して楽しみます。お茶を飲んだ後、そのままテラスで夫がリモートワークをしていたら、「ぼくもぼくも」とホタテもやってきました。暦の上ではもう夏です。北欧ほど夏が短くないとはいえ、もう少し暑くなれば蚊が出てくるし、ここ最近は夏が暑すぎるので、爽やかに外の時間を楽しめる期間って案外と短いのですよね。いい季節は逃してはならん、と前のめりで過ごすのは北欧で身につけた習慣です。

自慢の洗面台

気温がぐっと上がり、水仕事が気持ちよくなる時期。シーズン終わりのニット製品を一斉に手洗いします。洗面台は夫の自作で自慢のスペース。最初は〈イケア〉で揃えようかと考えていたのですが、洋服を手洗いしたいし髪も洗える方が便利と、深さのある洗面台を探すことに。購入したのは水栓金具の専門メーカー〈カクダイ〉。おもしろい形の蛇口や洗面台がたくさん揃っていてお値段も手頃なものが多く、キッチンでは動線を邪魔するからと断念したグースネックの水栓も取り入れることができました。洗面台は壁と合わせて白木に。友人たちには「北欧っぽくて素敵」と褒められるのですが、素材も作りも日本製です。

5/8

和歌山のフィンランド

北欧の仕事を通じて日本の各地とも縁ができました。和歌山もそのひとつ。和歌山県立近代美術館内のカフェで開催されるフィンランドウィークスに招いていただいたことがありました。和歌山城をのぞむ会場にはデザイン雑貨をはじめ、地元のお店が作る北欧の味も並び、県外から訪れる方も多く熱気あふれるイベントでした。オフタイムにはみかん畑に面したカフェや地元書店に足を延ばしたりと、出店者のみなさんとの交流も楽しかった！ イベントを主催するのは北欧雑貨や書籍を扱うショップ〈コルバプースティ〉。2022年には和歌浦に実店舗をオープンされたので、次回はぜひみかんの旬の時期にお店も訪れたいもの。それから和歌山名物のパンダも見に行きたい！

5/9

アイスクリームの日

エスプレッソ・ミーツ・アイス

エスプレッソのアイスクリームを初めて食べたのは、バリスタの世界チャンピオンが率いるコペンハーゲンのコーヒー店。淹れたてのエスプレッソを使い、砕いたコーヒー豆をトッピングしたソフトアイスは感動のおいしさでした。エスプレッソといっても苦みは少なく爽やかで、濃厚なミルクティのような味わいなのです。東京・奥沢にある〈オニバスコーヒー〉でも夏が近づくと、本格的なエスプレッソ・ソフトアイスを出しています。コペンハーゲンで食べたのと同じく、爽やかなエスプレッソとおいしいミルクアイスのいいとこどりのような味わいで、自家製バナナブレッドのラスク付。お店の前にある線路脇のベンチに腰掛けて、店員さんとおしゃべりしながら食べるのが夏にかけての楽しみです。

5/10

愛鳥週間

青い鳥と白い鳥

暖かい土地を求めて飛んでくる鳥は、北欧の人々にとって待ち望む夏の象徴でもあるようです。わが家の可愛い鳥はデンマークとフィンランドからやってきました。〈ロイヤル コペンハーゲン〉の陶器の鳥は初めての北欧旅行で手に入れた思い出の品。笛になっていて、尻尾を吹くとホーホーと音がします。ガラスの青い鳥はオイバ・トイッカがデザインし、いまはなき〈ヌータヤルヴィ〉で制作されたものです。日本で楽しめる北欧の鳥といえばオスロ発の人気コーヒーショップ〈フグレン〉。浅煎りの北欧コーヒーブームを生み出し、店内にはノルウェーデザインの家具や食器も置かれています。「フグレン」とはノルウェー語で鳥の意味で、ロゴマークの白い鳥は、世界最長の距離を飛ぶアジサシという渡り鳥。

これ、なんの花？

にょきにょきと順調に育っている、わが家のディル。暖かくなってから一気に伸びて、5月には花が咲きました！ 小さな花がまとまって咲く様子は、おなじく北欧で親しまれているニワトコの花とも似ています。近づくと、フェンネルのような甘い香り。そういえばこの形状、食器やテキスタイルにも描かれていたなと思い出し、見るとよく使うプレートにも描かれていました。スウェーデンの〈ロールストランド社〉の「花束」と名付けられた絵柄にはディルとともに季節の花々が描かれています。チューリップのような花も描かれていたのですが、ディルとは季節的に違うような……。ふと、スウェーデンの国花で初夏に咲くイトシャジンが元かもしれないなあと想像がめぐります。（左ページにつづく）

5/12 ビンテージの謎解き

ディルが描かれたこの皿、作者名がわかりません。ある時、似た柄を見つけてラース・トーレンという名にたどり着き、彼が17歳から22年にわたって〈ロールストランド〉で絵付けをし、その後はイラストレーターとして新聞に漫画を描いていた異色の人物と知って興味が湧きました。彼の名で検索するうちに家族が主催するフェイスブックページを発見。思いきって質問したら「この柄は私も父の作品と思っていたけれど、尋ねたら違いました。でも影響されているのは確かです」と。トーレンの花柄は人気が高く、彼の絵をもとに職人が描いた製品も出ていたそう。長年の謎がついに解けました！ そうそう、トーレンの元の絵にはイトシャジンが描かれていましたよ。

5/13

北欧の学び舎へ

日本で唯一の北欧学科がある東海大学。ご縁あって、北欧映画の講座を担当しました。担当教員の柴山由理子さんに連れられて、講座の前に訪れたのは東海大学前駅の近くにあるカフェ〈ジンジャーとピクルズや〉。もともとお父様が学習塾をしていた場所を継いでカフェにしたというユニークな成り立ちのお店で、スウェーデン滞在歴もある店主が作るキャロットケーキは絶品！　ショーケースにはチョコレートボールなど伝統のお菓子もありました。ランチに頼んだキャロットスープには店の入口にワサワサと生えていたディルがたっぷり入っていました。

5/14

母にぴったりの1枚

母の日のプレゼントにはよく頭を悩ませましたが、これまでにあげたなかでもとくに気に入ってもらえたのは〈ロイヤル コペンハーゲン〉の母の日プレートでした。毎年、さまざまなデザイナーが手がけていて「デンマークのお母さん」「東洋のお母さん」をはじめ「グリーンランドのお母さん」とテーマも雰囲気も年ごとにずいぶん違います。1971年は「アメリカのお母さん」。大きめの帽子とどことなくヒッピー感のある装いは、若い頃の母ともイメージが重なります。子どもの頃、すぐ飛び出すからとしっかり手をつながれていた自分のことも思い出して笑えてしまうし、猫の親子が描かれているのも最高です。母が選んだ壁紙を背景に飾られているのを見て、喜んでいた母を思い出します。

5/15

ドナルド大好き

北欧でも人気のディズニーキャラクター。でもミッキーマウスよりもドナルドダックの方が断然人気が高いのです。スウェーデンの友人に理由を尋ねたら「ネズミよりもアヒルの方が可愛いと思うのは自然なことでしょう」と答えが返ってきました。確かにそうかもね。コミック本を見てもドナルドダックのお話ばかり。蚤の市で見つけたミッキーマウス型の時計の裏側にドナルドダックと書いてあったのには苦笑してしまいました。さすがにディズニーさんに叱られるのでは？ ちなみにスウェーデン語でドナルドダックはカッレ・アンカ（アヒルのカッレ）と呼びます。カッレはスウェーデンで人気の名前。一方のミッキーマウスはムッセ・ピッグ（元気なねずみ）。名無しです。

5/16

旅に欠かせない布

5月は北欧を旅行するのにおすすめの時期です。旅で重宝するのが風呂敷。パッキング時には服を包んで入れ、湖や海で泳ぐ時には腰に巻いて着替えたり、タオルがわりに体をふいたりもできます。森や公園でピクニックをする時にレジャーシート代わりに敷いてもよいし、肌寒い時にはとりあえず肩にかけてしのぐこともできます。宿泊先で窓にカーテンがない時（北欧あるあるです）は遮光に使うこともできますし。愛用しているのはフィンランドのデザイナー、ヘイニ・リータフフタが日本のブランドのためにデザインした1枚。最近のお気に入りは小布施の栗イラストの風呂敷。和柄の風呂敷は北欧の友人へのおみやげにしても喜ばれます。

5/17

ノルウェー憲法記念日

ノルウェーのお誕生日

5月17日はノルウェーの憲法記念日。１８１４年にデンマークの支配を離れて独自の憲法を制定し、事実上の独立を勝ち取った日です。それだけに思い入れはひと際熱く、ノルウェー人によるノルウェー愛が炸裂する日。人々は赤・紺・白のノルウェー国旗を片手にブーナッドと呼ばれる民族衣装でパレードに参加し、首都オスロではノルウェー王室が挨拶をするのが習わし。インスタグラムで #syttendemai（5月17日の意味）タグで様子をうかがうと、さまざまな民族衣装や国旗色のおしゃれ、テーブルセッティングやパレードの様子がのぞけて楽しいですよ！「Gratulerer med dagen（お誕生日おめでとう）」とノルウェーの誕生を祝福する挨拶が交わされるのも素敵です。

5/18

ルバーブは初夏の味

最近は日本でも見かけるようになったルバーブ。北欧の国々では、ルバーブが市場に並ぶと夏の始まり。エグみが強くそのまま食べることはできないので、コンポートにしたり、砂糖漬けにしてケーキに入れたりします。私にとってルバーブは中高生時代の思い出の味。長野県にあるキャンプ場で毎夏、過ごしていたのですが、長野ではよくとれるため昔からジャムにされていたのでした。見た目は茶色くて食欲をそそりませんが、食べてみると甘酸っぱくておいしい！　大好きな味でしたが、キャンプ場以外では見ることはなく、人に伝えても「なにそれ？」と言われるばかり。北欧で親しまれているとわかり、ジャムだけでなくお菓子やジュースでも味わえると知った時はうれしかったですね！

完璧じゃないリネン

ここ数年、愛用しているリトアニアリネンの部屋着。リネンの服というと、ふんわりナチュラル系の無難なデザインが多いと思っていましたが、〈ノットパーフェクトリネン〉の粋なデザインにはすっかり心を掴まれてしまいました。色のバリエーションも多く、どの型でどの色にしよう？と迷うこと迷うこと。在庫の無駄をなくすために受注生産制にしているので注文から届くまで約4週間ほど待つのですが、着たい気持ちも熟します。思っていたよりふっくら厚みのある生地で夏以外にも着られるのはうれしい誤算でした。洗うほどに風合いがよくなるのも気に入ってすっかりリピーターに。今年はどの型にしようかとウキウキ悩むのです。

5/20

森林の日

フィンランドの森の香り

窓辺に置いた木のブロックはフィンランドの森をイメージしたアロマグッズで、その名も「森のおすそわけ」。ほのかな木の香りがちょうどよく、タイル使いが自慢の窓台にもぴったりで気に入っています。これなら猫が落としても大丈夫ですし。もうひとつフィンランドの香りを楽しめるのが洗濯時に使う〈セース〉のランドリービネガー。酢を入れると生地の傷みや色褪せを防いでくれるので、色落ちしやすい生地や服を洗う時にいつも少し入れるのですが、レモンやベルガモットで香りづけしたビネガーは酢っぽさを抑えた絶妙な香りなのです。バスタイムには、フィンランドの森でとれる泥炭を使ったパックも愛用中。肌のザラつきや吹き出物が治って調子がよくなるので信頼しています。

5/21

小満

ガーデニング1年生

わあ、芽が出たぞと思っていたらあっという間に伸びていたり、つぼみだと思っていたのが花開いていたり。日に日に変わっていく庭の様子にたじろぐガーデニング1年生です。庭いじりが大好きだった母が「5月がいちばんいい季節」と言っていたのが今になってやっとわかりました。「万物が成長し、天地に満ち始める」小満の時期。わが家の庭でも、昨年植えたブルーベリーがちゃんと実をつけていました。もう少ししたらスウェーデンでやったみたいに、枝からもいでブルーベリーのつまみ食いができるでしょうか。

わが家の花まつり

庭の花が咲き始めたので少しもらってきました。エルサ・ベスコフの絵本『リーサの庭の花まつり』は、森のはずれの小さな家に住んでいる女の子リーサが夏至の精に導かれて庭の花まつりをのぞき見るお話。マーガレットやケシ、野ばら、ブルーベリーなど花の行列のなかにはリンネ草やクラウドベリーなど北国ならではの植物の姿も。じゃがいもや赤カブ、えんどう豆など野菜陣の存在感もたっぷりで、「花と差別するな！」と主張する雑草たちの様子や、花ごとの装いもそれらしく、ベスコフらしい観察眼と描写に唸ります。読んだ後に庭と向き合うと、雑草を引き抜く手も一瞬、止まったりして……（でも引っこ抜きます）。

5/23

日差しとのつきあい方

日差しが強くなってきたので、天窓に布をつけました。薄いガーゼ生地ですが、こうすると強い光を遮りつつ、光を適度に拡散してくれます。冬の間は天窓から入る光がありがたいのですが、これからの季節は日差し対策が欠かせません。北欧の家では天窓や、カーテンなしの窓が多いのですが、夏の日差し対策はどうしているの？　と友人に尋ねたところ、大事な家具には気になったらブランケットをかけておくのだとか。わが家でも付け焼き刃とはいえ、あまりに強い日差しが気になる時はコットンのブランケットをかけるようにしています。

5/24

フィンランドの国花

5月のヘルシンキを旅していて、ふらりと立ち寄ったカフェに飾られていたすずらん。そういえばフィンランドの国花はすずらんだったな、と後になって思い出しました。フィンランドといえば町のあちこちでクマの銅像やロゴマークを見かけるので国獣がクマというのはわかりやすいのですが、国花となると、あまり知られていないかもしれませんね。フィンランド語でキエロといいます。

5/25

ビールと食べるバーガー

行列のできるハンバーガー屋が増える昨今、私の推しは〈ミッケラー〉のハンバーガー。パテを焼く時にわざと潰すのはアメリカ式ですが、タマネギやピクルス、マスタードなどホットドッグでおなじみのトッピングと合わせるのがデンマーク的。神田店だけの限定メニューで、駅前の飲み屋街の一角にある店舗は、古い木造家屋を改築したユニークな空間です。クラフトビールとの組み合わせは最高ですし、ミルクシェイクやベジバーガーもあるのでお酒や肉がＮＧの友人とも行きやすいのもうれしい。お店は期間限定だそうですが、あの味はぜひ受け継いで欲しい！　ちなみにデンマークで初めてハンバーガーを紹介したのは世界最古の遊園地バッケンのバーガーショップ。１９４９年5月25日から変わらずハンバーガーを提供しています。

5/26

世界リンディホップデー

踊るスウェーデン

スウィングジャズの時代に大流行したリンディホップ。別名ジターバグといい、ロックンロールやヒップホップの親といわれるアメリカ発祥のダンスですが、スウェーデンにはジターバグの名を冠した伝統菓子もあります。きっとそれだけスウェーデンでも人気があったのでしょうね。リンディホップは私が北欧へ行きたいと思った理由のひとつ。スウェーデンは80年代からのリバイバルブームの中心地で、よいダンサーがたくさんいて、リンディホップの伝道師フランキー・マニングの名を冠した通りもあります。会話ができなくても踊れば仲よくなれるのがリンディホップのいいところ。日本でも踊れる場所があり、北欧からダンサーが来ることもあるんですよ。

5/27

チーズの日

推したいチーズ

デンマークのダナブルーは日本で最初に紹介されたブルーチーズなんだそうです。情報サイトのデイリーポータルZで「こんなうまいチーズ理論上存在しない」と熱く紹介されバズったのはノルウェーのブラウンチーズ。私のおすすめ北欧チーズはクミンとクローブ入りのヌーケルチーズで、クラッカーやトーストにのせて、はちみつをかけて食べるとおいしい！　北欧の乳製品メーカー〈アーラ〉のチーズも最近よく見るようになりました。スライスタイプで使いやすく、バターでソテーしたきのこと一緒にオムレツやサンドイッチにしたり、おつまみ代わりにそのまま食べてもおいしいのです。5月27日はスウェーデンではチーズの日。

蚤の市あるある

5/28

スウェーデンのヨーテボリで訪れた蚤の市で見つけたこれ。キノコが目について手にとって見たらリリアンでした！ しかも編みかけのまま入っている。ああ、これ北欧あるあるです。以前もお金が入ったままのずっしりとした貯金箱を見つけたことがある。胡椒が入ったままのペッパーミルなんていうのもありました。そのまま売ってしまうんだな。リリアンといえば私が覚えているのは赤いプラスチックの道具ですが、キノコ型リリアンは木製で、編み棒も可愛い。ちなみにこのキノコは10クローネ（約130円）でした。小さなカップも、手編みのヘアバンドもすべて10クローネ。10はスウェーデン語でティオと発音します。蚤の市では「これいくらですか？」「ティオ」もよくあるやり取り。

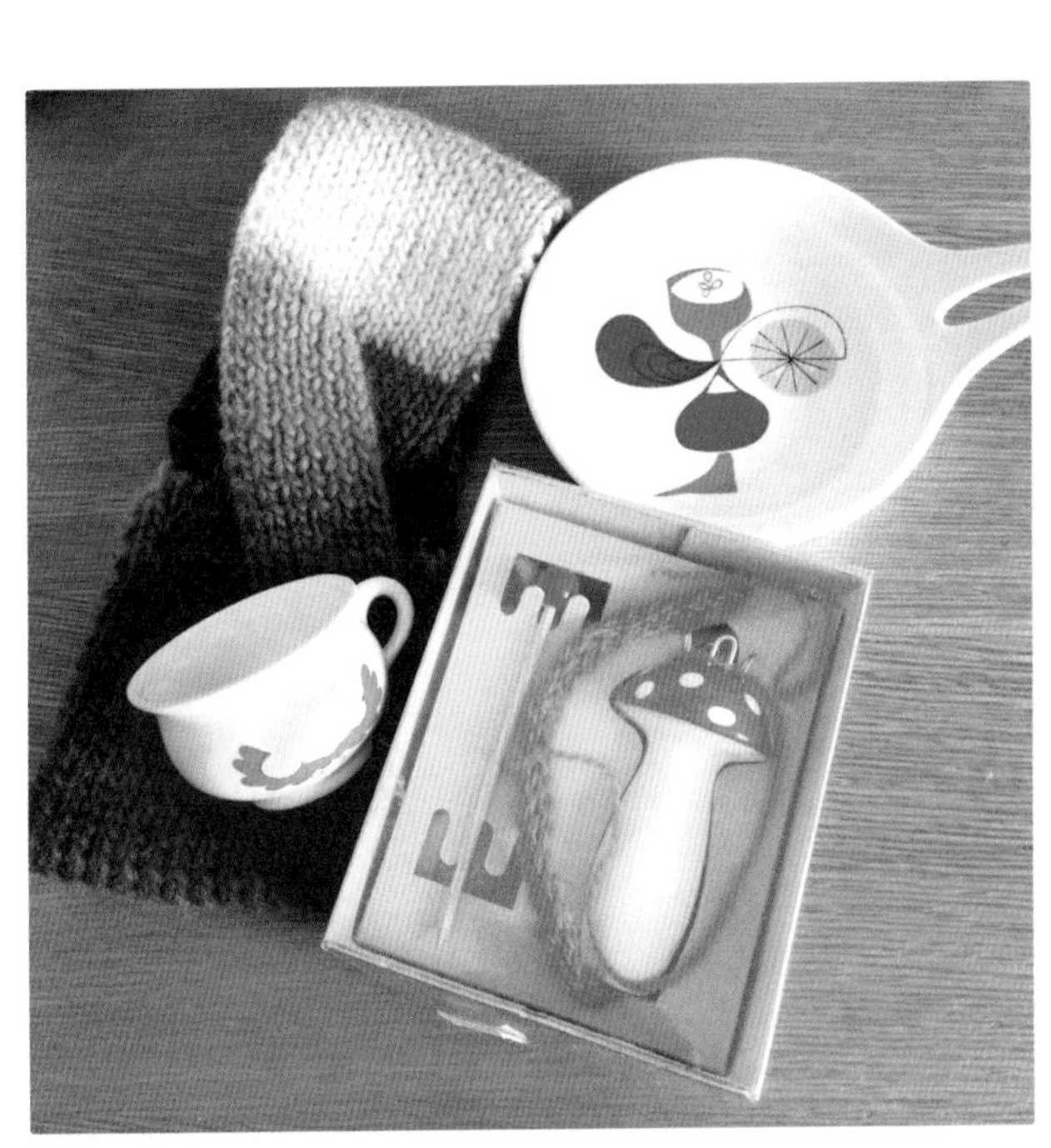

スウェーデンの母の日

ひと足早く母の日を迎えるノルウェーと対象的に、北欧で最後に母の日を迎えるのがスウェーデン。5月の最後の日曜日です。スウェーデンでは第一次世界大戦後に「国民の家」と名付けた福祉政策が始まり、その一環として母の日と父の日が制定されました。1920年に配布された母の日の小冊子には祝い方も記されていたそうです。いわく、まず子どもたちはコーヒーや朝食を用意する。それを持って歌いながら、ベッドで寝ている母親を起こし、小さなプレゼントや花とともに祝う。この日は母親は家事から解放され、代わりに子どもたちが掃除や調理、片付けをするのです。ベッドで起こしてお祝いするのは誕生日でも同様で、〈グスタフスベリ〉が1970年代に作っていたお祝いプレートでは、まさにその様子を描いています。

5/30

町をあげてクリーニング

蚤の市が増える5月、フィンランドで参加して格別に楽しかったのがクリーニングデイ。家にある不用品を売って、ホームクリーニングしちゃいましょうというイベントです。通常の蚤の市と違うのは、特定の会場が決まっているわけでなく「誰でもどこでも」参加できること。出店者は事前に公式マップに登録し、マップを見ればどこで出店されているかがわかるのです。公園や広場に出店する人が多いですが、自宅の庭や道などで広げている人も。日本にもクリーニングデイ事務局があり、フィンランドと同じ日程で開催を呼びかけています。国を越えてみんなで一斉にクリーニング！ 日本でも定着するといいなと思います。

5/31

庭づくりのバイブルは

自宅のリノベーションが終わっていよいよ庭に着手しようと、手に取ったのは〈ジュウ・ドゥ・ポゥム〉の本。北欧をはじめヨーロッパのクリエイターの部屋を紹介する本が好きで、ロンドンやストックホルム、ヘルシンキの庭を見比べながら庭師さんに相談。そうして憧れの芝生と敷石のある庭を叶えました。森のように草木が生い茂る北欧の植栽は素敵なのですが「これを日本で真似すると、かなりワイルドになります」と冷静なアドバイスをもらい踏みとどまりました。芝生も草木もあっという間にワサワサしていくのを見ながら、プロのアドバイスを聞いて本当によかったと思う初夏です。

6/1

世界ミルクデー

乳製品いろいろ

ヨーグルトのような、サワークリームのような、クリームチーズのような。日本にはない乳製品が北欧にはいろいろあります。フィンランドでデザートや料理に使われるラハカは、ドイツ語のクワルクという名でも親しまれるフレッシュチーズ。ノルウェーのロンメはサワークリームのような味で、ワッフルに欠かせません。牛乳かな？　と注いでびっくりするのが、ヴィーリやピーマと呼ばれるどろりとした発酵乳。アイスランドのスキールは水切りヨーグルトのようですが、チーズに分類されます。スキールは日本でも買えるようになり、ワッフルやパンケーキに添えてもおいしい。〈会津中央乳業〉の「べこの乳」ヨーグルトも濃厚でほどよい酸味があってクワルクやロンメのように使えます。

6/2

プライド月間の顔

6月はプライド月間。LGBTQ+への理解が進む北欧では自治体や企業も賛同して声をあげ、日本でも大使館がプライドパレードに参加するなど活動の後押しをしています。プライド月間にぜひ知ってほしいアーティストといえばトム・オブ・フィンランド。ゲイファッションに身を包んだ（包んでいない姿もあり）筋骨隆々の男性イラストで世界中にファンをもち、彼の生涯を追う映画『トム・オブ・フィンランド』は日本でも公開されました。現在では多様なセクシュアリティを認めるフィンランドでもかつて同性愛は犯罪とされたこと、トムの存在がいかに国内外の同性愛者に生きる力を与えたかを描き、観る人すべてを勇気づけてくれるような作品。トムはいまではムーミンや〈マリメッコ〉に続く、フィンランドの顔なのです。

6/3

世界自転車デー

自転車で走りたい道

コロナ禍で自転車を購入しました。電車で降りたことのなかった駅の周辺を探索したり、車や徒歩では気づかなかった店を見つけたりと生活圏が変わりました。私の夢はコペンハーゲンの町を自転車で走ること。世界有数の自転車の町として知られるコペンハーゲンは自転車専用の道路が徹底して整備され、市民の半数が自転車通勤しています。２０１４年には港の上を走る高架式の専用道路ができ、ここを走ってみたいのです。もとは混雑緩和のために作られた道路ですが、コペンハーゲンの町と運河を眺めながらサイクリングできるなんて最高。ただし、この町を走る自転車はスピードが速い！　あのペースについていけるかなあといつも物怖じしてしまうのですが、次回こそは挑戦したいと自転車を漕ぐ日々です。

6/4

虫歯予防デー

北欧式デンタルケア

虫歯予防に役立つといわれる甘味料、キシリトール。その効果にいち早く目をつけていたのがフィンランドの研究者で、キシリトールといえばフィンランドを思い出す人も多いかもしれません。スーパーマーケットに行くとキシリトール入りのガムや歯磨き粉がたくさんあり、ムーミンのパッケージはおみやげの定番です。デンマークのオーガニックハーブ製品会社〈ウルテクラム〉の歯磨き粉もデザインがよく、子ども向けにはリコリス味もあり、日本のいちごやバナナ味のように子どもが喜ぶ味なんですね。ノルウェーの〈ジョーダン〉の歯ブラシはカラフルでグリップのデザインも斬新。物価の高いノルウェーでおみやげにもよく買いましたが、いまは日本でも購入できるようになりました。

6/5

デンマーク憲法記念日

国旗が大好き

6月5日はデンマークのナショナルデー。憲法を制定し立憲君主制となった日です。フィンランドやノルウェー、アイスランドのように国をあげてのお祝いはなく、特段なにをするわけでもないのは日本と同じ。お店は閉まっていることが多いので、旅をする際には注意が必要ですが。そういえばデンマークではこの日に父の日のお祝いもしてしまうんですよね。ナショナルデーへの思い入れは浅くても、ダンネブロと呼ばれる国旗にはひときわ深い愛着をもつデンマーク人。「デーン人の十字」を意味する赤地に白十字の旗は、現在使用される世界の国旗のなかでもっとも古い歴史をもつのだそう。バースデーケーキやお祝いのお菓子はダンネブロで飾るのがお約束。スーパーマーケットに行けば野菜も国旗柄で包まれています。

6/6

スウェーデンナショナルデー

ナショナルデーのケーキ

デンマークにつづいて、6月6日はスウェーデンのナショナルデー。スウェーデン建国の父、グスタフ・ヴァーサが国王に就任した日で、憲法が制定された日でもありますが、正式にナショナルデーとされたのは1983年とまだ日の浅い祝日です。ナショナルデーに欠かせないのがいちごのケーキ。いちごと生地を重ねたレイヤーケーキで「ホイップクリームこそ大事」と言う人もいれば「メレンゲこそ命」と言う人も。私のベストケーキはこちら。薄いスポンジ生地にメレンゲを重ねて一緒に焼いて、クリームとジャムを挟んでいちごをトッピング。ふわふわのクリームとメレンゲの食感、たっぷりのいちごが一緒に味わえる極上の味でした。じつは作ってくれたのはデンマークの友人。デンマークでも夏はいちごのケーキが人気です。

ニシンの日はいつ？

スウェーデンにはミートボールやシナモンロールの日があるんだから、ニシンの日もあるはずと調べたところ、南スウェーデンでは地域ごとにそれぞれニシンの日があるそう。6月の最初の週末や、6月6日のナショナルデーこそニシンにふさわしい日としている町もあり、やっぱり初夏の味なんですね。ニシン柄への思いがひときわ強いイラストレーター、サカガミクミコさんのテキスタイルにひと目ぼれして、わが家でもニシンの日。きりっと鮮やかな配色が初夏の気分を盛り上げてくれます。ニシンじゃないのが一匹いますけれども……（新しい布が大好きなのです）。

6/8

憧れのレインブーツ

レインブーツに憧れて数年。〈ハンター〉や〈エーグル〉などおなじみブランドのブーツも試着してみたものの決め手に欠けていたところ、出会ったのが〈イルセ・ヤコブセン〉のレインブーツでした。レースアップのデザインは見た目に可愛いのはもちろん、筒部分の太さ調節ができて、インナーに起毛フェルト素材が使われているのもワタシ的にはポイント高しでした（冷え性なもので）。石油由来でなくナチュラルラバーを使っていること、そしてデンマークのブランドだったのも後押しになって、ちょっと予算オーバーでしたが思い切って購入してしまいました。私があんまり盛り上がっていたからか、一緒にいた夫まで購入。長靴なんて子どもの時以来となりましたが、大雨でも水たまりでも気にせずにガンガン歩けていいですね。もう9年ほど履いています。

6/9

ロックの日

ロックの日に観る映画

ロックな北欧の音楽映画をご紹介します。グリーンランドで生まれた伝説のバンド、スミの軌跡を追う『サウンド・オブ・レボリューション』。デンマークの統治下にあった1970年代にグリーンランド語でロックを歌った初めてのバンド、スミは自国への誇りを取り戻させ、後に自治権獲得を後押ししていきます。ノルウェー発『ロスバンド』は憧れのロックフェスティバルへの出場を目指す、少年たちの爽やかな青春ロードムービー。フェスの開催地トロムソへの道中に映る絶景も見どころで、物語を彩るロケンロールなサウンドトラックが最高！フィンランドの抱腹絶倒バンドムービー『ヘヴィ・トリップ／俺たち崖っぷち北欧メタル！』は笑って泣いて北欧メタルシーンを駆け抜ける作品。

6/10

ロッタちゃんとスナフキンの故郷

6月9日の話をもうひとつ。この日はオーランド諸島の独立記念日。オーランドはフィンランドとスウェーデンの間にある島からなる自治区で、フィンランドに属しつつもスウェーデン文化が色濃く残る複雑な歴史があります。最初にこの島のことを知ったのは、ロッタちゃんの愛称で知られるデザイナー、ロッタ・ヤンスドッターさんの著書。おばあちゃんの家やサマーハウスでの素朴な島暮らしに惹かれ、北欧に行きたい気持ちを高めてくれました。スナフキンのモデルとされるアトス・ヴィルタネンの出身地で、トーベ・ヤンソンがたびたび過ごした縁の場所としても知られます。自治権が認められた背景には当時、国連で働いていた新渡戸稲造の尽力があったそうです。

6/11

イブ・スパング・オルセンの誕生日

月と電車と猫

デンマークを代表するイラストレーター、イブ・スパング・オルセン。代表作の絵本『つきのぼうや』は邦訳もされたロングセラーで、福音館書店の「アンデルセンの童話」シリーズのためにもたくさんの絵を描いています。公共ポスターから陶器デザインまで手がけ、国際アンデルセン画家賞を受賞したこともあるオルセン。長く暮らしていたというコペンハーゲン近郊のキルデバッケ駅構内には、オルセンが描いた汽車や列車の絵があります。私の好きな1冊は『ネコ横丁』。新しい町に引っ越してきた姉弟が、猫たちのいる摩訶不思議な横丁に迷い込む物語で、わけがわからないけれど猫は可愛い。子どもの頃に出会いたかった、そんな絵本です。

6/12

入梅

雨の日が楽しみな傘

〈マリメッコ〉でのデザインや、ムーミンのトリビュートデザインなど、フィンランドとの縁が深いデザイナー、鈴木マサルさん。自身のブランド〈オッタイピイヌ〉で毎年開催している傘展で、数年前ついにあこがれの傘を手に入れました。開いたり閉じたりして選んだのはバターという柄。買ってしばらくはシロクマの絵だと思っていたのですが、ある時ふと思い立って調べてみたらトラの絵なのでした。「テキスタイルを持ち歩く」というコンセプトそのままに、カラフルで心躍る傘を手に入れてからは雨の日が楽しみに。ただし出先で飲酒予定の日には持たないようにしています。一度、店に置き忘れてしまい肝を冷やしましたから……。

6/13

国旗色のおしゃれ

気づけば、サマーニットの色が北欧の国旗色づくし。ノルウェーとアイスランドの赤・紺・白。スウェーデンの青と黄色。デンマークの赤と白。北欧関係のイベントがある時には、ぜひこれを着てのぞみたいもの。あれ、青と白のフィンランドがありませんでした。国旗の色より少し鮮やかな水色と白の〈マリメッコ〉のワンピースならありますけれど。赤と青と白とくれば一般的にはトリコロールカラーですが、ノルディックカラーに見えてしまうのが北欧脳ですね。夏に向けて袖を通すのが楽しみな服たち。梅雨の合間に手入れをして備えます。

ツバメの季節

子どもの頃、近所の駅舎でツバメが巣作りをしているのを見ると「もうすぐ夏だ」とウキウキしたもの。大人になってもツバメのチャームやアクセサリーに惹かれてしまいます。エストニアではツバメが国鳥で、お店の看板や食材のパッケージ、切手にも描かれていて、旅をしているとあちこちでその姿を見かけます。かつては紙幣にも描かれていたようですね。エストニアのツバメといえば2016年に46歳とエストニア史上最年少で大統領になったケルスティ・カリユライド氏(現在は退任)が、来日時の式典で着ていたツバメ柄のドレスも素敵でしたねえ！

6/15

雨の日に着るもの

北欧というと雪、または太陽が沈まない爽やかな夏のイメージが強いですが、じつはヨーロッパのなかでも降水日数の多い雨の国でもあるんですよね。それだけに各国おしゃれなレインウェア専門ブランドもあり、モード感のあるデンマークの〈レインズ〉や、ノルウェーの高級レインウェア、〈ノルウェージャン・レイン〉は日本でも展開中。私の推しはアイスランドのブランド〈66°NORTH〉。厳しい天候に対応しつつ、タウン使用もできるレインウェアやバッグが揃っていて、創業地の緯度にちなんだ66のロゴマークがかっこいいのです。埼玉・飯能のムーミンバレーパークで、急な雨に降られて慌てて購入したのはムーミン付ポンチョ。このくらい手軽なのも携帯しやすくて案外と重宝しそうです。

6/16

和菓子の日

父の日に和菓子

料理もお菓子作りも器用にこなしてしまう義姉が最近、凝っているという和菓子を差し入れしてくれました。見てびっくり。これ全部手作り？　と驚いたのはもちろん、リサ・ラーソン風ハリネズミや、マリメッコ風の花形も。「せっかくだから北欧風にしてみたよ」とさらりと言ってのける義姉、すごい！　北欧らしい淡い色やぽってりとしたデザインが練りきりによく合います。6月16日は和菓子の日。仁明天皇が御神託に基づいてこの日、16の数にちなんだ菓子などを供えて、嘉祥に改元したことに由来しているそう。あんこ菓子が大好きな父にもおすそわけ。父の日に和菓子、いいですね。

6/17

アイスランド独立記念日

アイスランドから愛をこめて

アイスランド独立の日に寄せて、ネットフリックスの番組『アイスランド人でごめんね』を観ました。コメディアンのアリ・エルジャンが小国ゆえの自虐ネタから北欧あるあるネタまで毒舌でしゃべり倒すステージで、とくにかつての宗主国デンマークには容赦なし。軽い気持ちで見始めたのですが、北欧5カ国の比較論的な学びも多く、大満足の1時間でした。最近はアイスランドの映画やドラマの配信も増え、オリンピックでホストタウンとなった東京都多摩市と友好関係を築くなど、日本との文化的な接点が増えてうれしい限り。デンマークからの独立運動を指導したヨン・シグルズソンの誕生日であり、1944年のこの日、デンマークから完全独立を果たしたアイスランド。独立おめでとう！

6/18 隠れサッカー大国

6月はワールドカップや欧州選手権があるサッカーの季節。イングランドやドイツ辺りと比べるといささか地味な感もありますが、スウェーデンはワールドカップ準優勝、デンマークは欧州選手権で優勝とサッカー史にその名を刻んでいます。往年の選手でいえばラウドルップ兄弟やラーション、最近ならイブラヒモビッチやエリクソン、親子2代で活躍するシュマイケルなど時代ごとに名選手を輩出しています。2016年のユーロでは初出場のアイスランドが強豪イングランドを破る快挙を果たし、応援のバイキングクラップも含めて世界に注目されました。私はサッカーはアズーリ（イタリアチーム）派ですが、北欧勢の動向もやはり気になるところ。

夏を感じるスープ

フィンランド語で6月はケサクーといいます。ケサは夏のこと。日本の6月は梅雨でじめじめ、祝日もないしと気分が塞ぎがちな月ですが、北欧の人たちにとって6月は待ちに待った夏の始まりなのです。フィンランドのレシピで気に入っているのが、その名もケサケイット＝夏のスープ。旬のグリーンピースや夏野菜が主役のクリームスープです。細かく切った野菜を煮て、生クリームや牛乳で仕上げる手軽なレシピですが、ほんの少し砂糖を入れて甘みをつけて、片栗粉などでとろみをつけるのがポイント。わが家ではカリフラワーやズッキーニを使い、日本では旬を過ぎているものの、やっぱりグリーンピースは欠かせません（冷凍豆でもＯＫ）。夏のスープで、ヒュヴァーケサー（よい夏を）！

6/20

卒業シーズンは無礼講

6月は北欧では卒業式の季節。旅にいい時期でもあるので、卒業生の姿を目にしたこともたびたびあります。スウェーデンではレッドカーペットを歩くの？と思うほど気合を入れた装いの高校生たちがリムジンや派手な車に乗って町をまわり、写真を撮って大騒ぎ。垂れ幕や花で飾りつけたトラックの荷台に乗り、飲んで騒ぐのもお約束。デンマークにはクラスメイト全員の家をまわって飲み食いする豪快な習わしもあり、こうした飲酒文化を真っ向から捉えたのが映画『アナザーラウンド』。高校生の飲みっぷりと羽目のハズし方には唖然としますが、社会に出る前の最後の時間に仲間と羽目を外しておいで！と大人たちが見守るシーンが印象的。日本の成人式と通じるところもありますね。

6/21

世界音楽の日

デザインの国のオーディオ

ビンテージになじむ木目のスピーカーはデンマークのオーディオ機器メーカー〈ダリ〉の製品。「オーディオ製品の存在を感じさせずに音楽を楽しめるように」と開発されたもので、さすが家具の国と言いたくなるデザイン。デンマークのオーディオ製品といえば、クールなデザインの〈バング&オルフセン〉も有名です。デンマークはオーディオ系が強く、補聴器にもいいデザインがあるんです。ダリのスピーカーは低音と高音のバランスがよく、サイズ感もわが家にぴったり。〈ビクター〉のトレードマークとして知られる犬のニッパーの居場所もできて、喜んでいます。

6/22

新じゃがの楽しみ方

日本人が秋の新米を喜ぶように、北欧の人々は初夏に出回る新じゃがを心待ちにしています。味付けは塩のみ、新鮮なディルとともに茹でてシンプルに食べるのも、「新米はできるだけ純粋にお米のおいしさを味わいたい」と思うのに似ています。夏至祭のテーブルには欠かせない味で、粒が小さい方が好まれるというのもおもしろい。そんなわけで日本でも小粒を見つけたら北欧式にいただきます。エストニアの友人に、ディルは花ごと一緒に茹でるのもいいよとアドバイスをもらったので早速試してみたところ、う〜んいい香り！ 見た目も華やいで、おもてなしの食卓にもぴったりでした。

6/23

夏至

夏至祭はこわくない

北欧の人々にとって夏至はクリスマスと並ぶ大きなイベント。待ちに待った夏の始まりであり、家族や友人と集ってごちそうを食べる日。スウェーデンやフィンランドでは花かんむりを作り、それを枕元に置いて寝ると運命の相手が夢に現れる、なんていう言い伝えもあります。大ヒット映画『ミッドサマー』のせいで「こわくてヤバい」イメージに置き換えられてしまった感もありますが、現地のお祝いは素朴なもの。夏至祭のシンボルであるメイポールを立て、そのまわりで伝統楽器を演奏したり踊ったり。スウェーデン大使館では毎年ナショナルデーに夏至祭を先取りしたお祝いをしていて、民族衣装のみなさんと名物かえるダンスを踊ったのはよい思い出。じめじめしがちな梅雨が楽しい時期に思えるようになりました。

6/24

マリメッコンバース

最近ではアディダスとのコラボレーションなどカジュアルラインも充実している〈マリメッコ〉。これまでのコラボでワタシ的にヒットだったのは〈コンバース〉。マイヤ・ロウエカリがデザインしたラシィマット（使い込まれたラグという意味）柄は、モノトーンだからか案外と合わせやすく、旅にも履いていきました。「マリメッコだね！」と話しかけられることもあり、これがきっかけで話が盛り上がって、後に仕事につながったこともあるのです。可愛い上に恩恵もあるマリメッコンバース。1代目も2代目もずいぶん履き込みました。

6/25

広島でデンマーク

デニッシュを日本に広めたベーカリー〈アンデルセン〉。毎年6月には全国のアンデルセンでデンマークフェアを開催。本店の広島アンデルセンではデンマークのシェフに学んだ本格的なオープンサンドなど特別メニューを提供しています。北欧の文化やデザインに触れるプログラムもあり、私もいくつか企画に関わったのですが、楽しかったのはデンマーク名物の誕生日パン（デニッシュ）、カイヤマンを実演で作ってもらったこと。子どもの型に焼いたデニッシュにアイシングで顔や髪の毛を描いてキャンディや国旗で飾りつけるのですが、作るところを見たのは私も初めてでした。フェア期間中はデンマークから直輸入したバターも販売されるので、ご近所だったら何度でも通って買いたいところです。

6/26

オリエンテーリングの日

自然を歩くスポーツ

子どもの頃に家族で挑戦したことのあるオリエンテーリング。地図を使って自然の中に配置されたチェックポイントをまわり、タイムを競うスポーツです。スウェーデンで森へハイキングに行った際にオリエンテーリングのマップやチェックポイントを見つけて、北欧発祥であり競技人口が多いことを知りました。歳をとった父が足腰のためにと始めたのは、ストックをついて歩くノルディックウォーク。スキーでならした父にとって、やりがいがあるみたいです。実家近くの、神社のある池のまわりをぐるりと歩いてまわるのですが、池にはカモもサギいて、まわりの緑も豊か。「あのヤブには野良猫が住んでるよ」とチェックポイントも教えてくれる父なのでした。

6/27

紫陽花の季節

デンマークには有名な紫陽花の育種会社があるのをご存じでしょうか。アンデルセンの生家があることで知られるフューン島にある〈スクロール〉は、綿菓子のようなやさしいピンク色のコットンキャンディや、深く濃い紫色が魅力のディープ・パープルなど、国際的な品評会でも受賞している人気の品種を育てています。花弁が強く、咲いた後も渋い色味に変化して、ビンテージカラーの花弁を秋口まで長く楽しめるのだとか。日本でも、母の日の頃からたくさん出荷されているようです。9月の北欧を歩いていた時に、花市場で渋い色味の紫陽花が目に留まりましたが、あれもビンテージだったのかもしれません。

6/28

グレタ・プリッツ・キッテルセンの誕生日

北欧デザインの女王

ミッドセンチュリーを代表するキッチン用品をひとつ選ぶとしたら、私は〈キャサリンホルム〉を選びます。北欧デザインと知らずとも、カラフルな琺瑯の鍋やボウルを目にしたことのある人は多いでしょう。モンドリアンカラーといわれる黒や紺、赤などをキッチン道具に使うのは当時とても画期的なアイデアだったそう。鍋の蓋をひっくり返せば鍋敷きとなり、見た目がよいので調理してそのまま食卓に出せる鍋は「洗い物の数も減る」と主婦から大歓迎されました。この琺瑯シリーズを作ったのは北欧デザインの女王と呼ばれたノルウェーのグレタ・プリッツ・キッテルセン。わが家ではやかんと小鍋を愛用中です。いまでは当たり前に見えますが、蓋と本体の色が違うのも斬新なアイデアだったのです。

6/29

猫店員と記念日

6月は北欧のビンテージ食器やテキスタイルを扱う小さな小さな私のお店〈スティッカ〉がオープンした月。2012年の6月最後の日にわが家にやってきた2匹の兄弟猫ウニとコハダは子猫の時から店員として接客に協力してくれました。病気で早逝してしまったコハダの分も張り切って接客してくれるウニはよく「北欧由来のお名前ですか？」と聞かれます。フィンランド語で、ウニは夢という意味があるんですよね。2022年のオープン10周年では、友人が記念の猫店員クッキーを焼いてくれました。2015年から加入した末っ子ホタテはビビりのため、いまだに接客が苦手です。

6/30 コハダの季節

梅雨の季節はコハダのことを思います。愛猫ウニの兄弟、コハダ。私のお店〈スティッカ〉が1周年を迎えた翌日にわずか1歳で空に昇ってしまいました。兄弟揃って出窓がお気に入りで、北欧の家みたいにオブジェを飾りたいと思っていた窓辺がすっかり占領されていたのも懐かしい思い出。ハッリ・コスキネンがデザインしたブロックランプを枕代わりによく2匹でひっついて寝ていました。フォトジェニックで飄々（ひょうひょう）として、わが家で撮影があるとちんまりと写真に収まっていたコハダ。以前取材されたインテリアの紹介サイト〈100% LIFE〉でも、悠々と部屋でくつろぐ姿が残されています。「北欧ノスタルジー」で検索するといまも見られるので、時々かつてのわが家とコハダの姿をのぞきます。

ウニとコハダの弟分、ホタテもやっぱりこのランプが好き。

夏本番は7月

夏休みは数週間ほど休むのが当たり前で、サマーハウスに滞在したり、旅をしたり、短い夏を謳歌する北欧の人々。彼らにとっての夏本番は7月です。町を歩けば「来月まで、いません」と張り紙があり、メールを出せば「○月○日まで連絡が取れません」と自動返信がきます。かくいう私も北欧とのつき合いが長くなるにつれ「やっぱり夏は休まないと」と思うようになりました。北欧式に7月から休みモードに突入し、日本式に8月のお盆もゆっくりする。いいとこ取りで夏を堪能できたらいいですよね。

7/2

水が流れるテキスタイル

涼しげな水色の縞が素敵なテーブルクロスは、ヨーテボリを拠点に陶芸家として活動するマサヨシ・オオヤさんのデザイン。手描きのラインは子どもの頃に習っていた書道からヒントを得ているそうです。マグカップに描かれたこの柄が素敵だなと気になっていたのですが、日本のオンラインショップ〈トレファトレファ〉から布製品が出ていると知ってテーブルクロスを手に入れました。広げてみたら、水が流れているようで爽やか。陶器とはまた違って、大きな面で柄を楽しめるのがいいですね。ちなみにこのテキスタイルは水を使わないプリント技術により作られたもの。水を大量に使い環境への負担も指摘されるテキスタイルの染色について、向き合う製品でもあるのです。

7/3

波の日

波が得意なデザイナー

波と聞いて思い出すのはフィンランドの建築家アルヴァ・アアルト。代表作のスツールの脚しかり、ヴィボルグにある図書館の波打つ天井しかり、アアルトベースしかり。波打つ曲線はアアルトの真骨頂。フィンランド語でアアルトが波の意味と知った時は「もしや芸名!?」と思いましたが本名だそうです。まさに波に選ばれし者。活ける花を選ばないアアルトベースですが、あまりたくさん入れすぎず、枝ものやケイトウ、カラーなどのシュッとした花を1〜2輪だけ挿して波打つ断面を見えるようにするのが、この花瓶を堪能するには正解かなと思います。

7/4

醸造酒の飲み頃

梅酒、レモン酒、かぼす酒にかりん酒。果実で作ったお酒がそろそろ飲み頃に。トニックウォーターで割ってよし、もちろんロックで飲んでもよし。夏の晩酌は自家製のレモンサワーや梅酒を楽しみます。日本は酒造のルールが厳しいですが、北欧では自家醸造の歴史は古く、酒税が高いこともあってビールを自作する人もたくさんいます。スーパーマーケットには自家醸造キットが売っていて、図書館に行けば自家醸造の本もあれこれと見つかります。わが家にも北欧から持って帰ってきた自家醸造ビールの本があります。法に触れないように、いつかは自家製クラフトビールも試してみたいもの！

7/5

ベリー柄のカーテン

夏のカーテンはこれです。いちごやラズベリー、ビルベリーなどさまざまなベリーとジャム瓶がいっぱいのカラフルな柄。ベリーといえば夏！と思うようになったのは、北欧の影響ですね。初めて行った北欧は7月で、ヘルシンキでもストックホルムでも市場へ行くといちごの屋台が並んでいました。友人のサマーハウスに滞在した際には森に出かけてビルベリーも食べました。夏はベリー摘みの季節で、摘んだいちごやビルベリーは生で食べるほか、ジャムやジュースにして年中楽しむ。日本の夏は、ベリーを食べ尽くすには遅いので、カラフルで目に眩しいベリー柄のカーテンを楽しみます。

7/6

ピアノの日

猫、踏んでない

スウェーデンのジャズを聴いていたら、耳慣れた曲が。ピアノ曲としてもおなじみの『ねこふんじゃった』をアレンジした曲なのでした。曲名を見ると『カッレ・ヨハンソン』とあります。日本語では「猫、踏んじゃった♪」と歌うところを『カッレ・ヨ〜ハンソン♪』と歌うのです。カッレはスウェーデンでよくある名前。太郎さんとか、さっちゃんといった感じでしょうか。オリジナルとされるドイツ語では『蚤のワルツ』の名で知られるこの曲。気になって他の国も調べたところ、フィンランド語では『猫のポルカ』となっています。思えばこの曲、ワルツではないし、ポルカの方が近い？ おもしろいのがデンマーク版で『ミートボールが塀を越えちゃった』。生き物ですらなくなってしまいました。

七夕

7/7

シスの国の、天の川

フィンランド語で天の川のことをリンヌンラタといいます。直訳すると鳥の道。南を目指す鳥が通る道とされているそうです。フィンランドには彦星と織姫の物語に似た詩もあります。スウェーデン語話者の作家サカリアス・トペリウスによる詩で、仲よしの夫婦が天に昇った後も一緒にいたいと千年もの時をかけて星くずを集めて橋を作り、それが天の川になったという内容。フィンランドには困難を乗り越える不屈の精神を指す「シス」という言葉があるのですが、天の川を作ってしまうとはさすがシスの国です。この詩の題名は『ヴィンテルガタン』、スウェーデン語で冬の道を意味するとともに天の川のことを指します。北欧の夏の夜は明るすぎて天の川はよく見えません。だから冬の物語になったのでしょう。

7/8

小暑

北欧アロハ

7月になると、アロハ柄の解禁です。本格的なアロハシャツの他に、北欧アロハと呼んでいるシャツが3枚あります。スウェーデンで購入した赤地のシャツにはチューリップ。ぜんぜん夏じゃないのですが、着ているとアロハとよく間違えられる1枚です。黄色いシャツはツバメ柄のせいか「北欧ブランドですか?」と聞かれる1枚。大ぶりの花がアロハ感を出しています。猫いっぱいのシャツはスウェーデンの蚤の市で手に入れたもので、開襟なのがアロハ的。アロハシャツはもともと日本の反物から作られているので、着物の小紋や和柄に通じる柄づかいが多いのですよね。ちなみにアロハシャツとは商品名で、正式名称はハワイアンシャツです。

7/9

カレーの隠し味

北欧レシピでよく使うカルダモンやクローブ、シナモンなどのスパイスはパウダーではなくホールで買って常備しているので、カレーを作る時にも重宝します。わが家のカレーレシピは『SPICE CAFEのスパイス料理』から。押上にある人気店の蔵出しレシピ満載で、カレーだけでなく10分で作れる簡単レシピもあるので、スパイスの使いみちがわからない！という方にぜひおすすめしたい1冊です。野菜中心のメニューも多く、ベジタリアンの友人をもてなす時にも助かります。ビブグルマンも受賞しているこのお店のオーナーシェフは中学時代からの友人。スパイスつながりで、北欧のシナモンロールを作ったり一緒にイベントをしたこともありました。レシピもお店も、スパイス好きにおすすめです。

エスプレッソほにゃらら

7/10

父との散歩コースの途中にある東京・不動前の〈DAY COFFEE〉。それまでは喫茶店でブラックしか飲んだことのなかった父が、すっかり気に入って注文するのがエスプレッソ・レモネードです。最近日本でも浸透してきたエスプレッソ・トニックの兄弟分で、広めたのはスウェーデンのバリスタ。かつて働いていたノルウェーのカフェで、同僚が余ったトニックウォーターで作っていたのをヒントに生み出したそう。トニックやレモネードにエスプレッソを注ぐだけ。二層にするにはコーヒーを後からそっと注ぐのがコツです。カタカナが苦手な父は「エスプレッソ・カルボナーラ」とか「エスプレッソ・マヨネーズ」と言い間違えるのですが、親切なバリスタさんがおいしい1杯を入れてくれます。

7/11

水差しからうるおいを

春に咲き乱れていた花は姿を消し、芝生だけがモサモサと生い茂る夏の庭。そんななか日差しにも負けず元気よく咲いているエキナセアを摘んで、キッチンの水差しに。水差しの形が好きでつい買ってしまうのですが、たいていはこうして花瓶がわりにしています。涼しげな青の柄は〈ロールストランド〉のバレンタインと名付けられた柄で、葉のように見えるのは青のハート。蛍光色っぽくも見えるエキナセアの色が映えます。花を買いに行く気力もなくなる暑い日々、生の花を庭から摘めるのはいいものだとガーデニング初心者は感動しています。

7/12

夏の日のランチ

友人夫妻が遊びに来てくれて、手軽なランチを一緒に。少人数だったので皿もグラスも揃え、青をベースに夏らしく合わせてみました。〈アルメダールス〉のニシン柄のテーブルクロスは撥水加工なので、来客時によく使っています。もてなしの食卓の定番は、〈アクアビットジャパン〉のマスタード味のニシン。最近は輸入食材店で酢漬けニシンを見るようになりましたが、マスタード味はまだまだレア。この味のバランスがとてもおいしいのです。ライ麦パンや大麦を使ったサラダなど、北欧の味を友人たちも喜んでくれました。コロナ禍のせいで大人数で集えないのはもどかしいですが、器にも気を配れて、ゆっくり話せる小さな集まりもいいですね。

7/13

チボリなライト

庭の木につけている照明は〈イケア〉で見つけたもの。レトロな色合いがチボリ公園みたいだからとチボリなライトと呼んでいます。コペンハーゲンにあるチボリ公園は１８４３年創業の歴史ある遊園地。観光スポットの筆頭ですが、地元の人々が楽しみに訪れる場でもあり、かのアンデルセンも訪れていたとか。園内にはレストランもたくさんあり、クリスマス時期には忘年会も行われてとってもにぎやか。子どもだけでなく大人たちもウキウキと園内を歩いているのが印象的でした。開園時期が限られていて、４〜９月とハロウィンとクリスマス時期だけのお楽しみ、というのもスペシャル感があるのかもしれません。わが家でも暑くなってくると木に取りつける、夏の風物詩なのです。

7/14

夏の恐ろしいもの

映画『ミッドサマー』には恐ろしい人々が出てきますが、北欧の夏に恐れるべきは蚊です。あちらは人だけでなく、蚊も大きい。都市部はともかく森や自然で過ごすなら、蚊よけは必須です。刺されるとひどく腫れたり、病気の原因となることも。森へ行ったらシャワーを浴びるのが鉄則と知り、恐れおののきました。ヘルシンキにあるソコスホテル・プレジデンティは人気ファッションブランドの〈イヴァナ・ヘルシンキ〉が内装を手がけたことで話題を集めましたが、ミッドサマーと名付けられた部屋には草花の愛らしいリネンとともに巨大な蚊の絵があり、苦笑してしまいました。

7/15

ひまわりの似合う花器

夏生まれなので誕生日にブーケをもらうとほぼ必ず、ひまわりが入っていました。昔は「もっと可憐な花がいいなあ」なんて思っていたのですが、一周まわってひまわり好きになりました。最近はレモンイエローのような淡い色味や、花弁の形もいろいろあって選ぶ楽しさもありますしね。ひまわりが似合う花器があるといいなと探していて出会ったのが、前野達郎さんの陶器。この縞模様、どこかで見覚えがあると思ったら、デンマークの〈ケーラー〉が作っているオマジオをイメージして作ったのだそうです。デンマークで陶芸修行をした前野さんならではの、この質感とフォルム。手描きの縞も絶妙で、ひまわりに合うブルーを選びました。朝起きて目に入ると元気が出る、ひまわりと花器です。

7/16

蚊帳ふきんバンザイ

少し早めの誕生日プレゼントにと、蚊帳ふきんをもらいました。最近はモダンな柄がたくさんありますね。北欧の友人たちへのおみやげでとくに喜ばれたのが蚊帳ふきん。これまで手ぬぐいや文房具などいろいろ持っていってみたのですが、蚊帳ふきんはすごかった。使ううちに柔らかくなり、乾きやすいのが「魔法みたい！」だそうで、「次はスーツケースいっぱいに持ってきて！」「このふきんを売ってビジネスができる」と大絶賛。北欧風の柄も好みだったようで、コーヒー豆のふきんは北欧のキッチンにもぴったりでした。わが家で使っているのは〈hirali〉のふきん。日本古来の色や柄をデザインしたふきんは、北欧のインテリアにも合います。

7/17

海の日（7月第三月曜日）

いちばん好きな海

泳ぐのが好きで、北欧でも機会を見つけて泳いでいます。コペンハーゲンの北にあるクランペンボーの海は水が透明で遠くに水鳥が泳ぎ、海岸線が美しい。この町はアルネ・ヤコブセンが集合住宅や海岸施設を設計したことで知られますが、海水浴場としてもおすすめです。スウェーデン、ヨーテボリのスティルソ島もいつかまた行きたい海。海防の拠点だったことからかつては外国人は入れなかった小さな島で、岩場に家が並ぶ様は絵画のようでした。牧歌的な景色とは裏腹に水に入ると流れが強く、用心して泳いだことを思い出します。50歳近くで孤島に夏の家を構えたトーベ・ヤンソンのように、いつまでも海と過ごせる人生が私の夢。そのために日本でも旅先でも、泳げる時は海に向かいます。

7/18

ブルーベリー尽くし

フィンランドには「自分の国はいちご、他の国はブルーベリー」ということわざがあります。自分の家（国）がいちばんとの表現で、ブルーベリーよりもいちごの方が格上なんですね。でもワタシ的には北欧のブルーベリーに1票。森でつまみ食いできるのも、ケーキやデザートにふんだんに使えるのも羨ましい。日本ではそう気軽に買える値段ではないですから。大きな瓶に入っている生ブルーベリーのシロップ漬けは、長野・軽井沢のスーパーマーケット、〈ツルヤ〉のオリジナル商品。大粒のブルーベリーがぎっしり入っていて、夏場はヨーグルトにかけてビタミン&元気補給です。ベリーを味わう北欧の夏気分は、もっぱらこれで満たしています。

7/19

国際ホットドッグの日（7月第三水曜日）

何はなくともホットドッグ

ホットドッグは北欧のどの国でも国民食といえるポピュラーな食べもの。フランスパンにソーセージをさしたデンマークスタイル、ロンペと呼ばれるフラットブレッドで食べるノルウェースタイルなどさまざまありますが、フライドオニオンときゅうりのピクルスをたっぷりと入れて、ケチャップだけでなく甘いマスタードをかけるのは共通のお約束。レムラード（ピクルスなどを混ぜたマヨネーズ系のソース）も北欧ならではの味です。ホットドッグ用のオニオンやピクルス、甘いマスタードは〈イケア〉で売っているのでわが家にも常備。買ってきたホットドッグにピクルスやオニオン増し増しで食べてもおいしいですし、時にはアイスランドラムを使ったソーセージを取り寄せて、本気の北欧ホットドッグを楽しんでいます。

7/20

旅のおともにするバッグ

以前は旅の準備に時間がかかっていたのですが、バッグが決まるとパッキングが速くなりました。1〜2泊ならバックパックに詰めて身軽に。フィンランドの〈ゴッラ〉のバックパックは厚みがあるわりに背負いやすくて、みっちり詰めても重さを感じにくいのが気に入っています（本をたくさん買う時もこれです）。海に行く時には〈マリメッコ〉のトートバッグを。PVC素材なので濡れても平気で、砂がつきにくく、マイヤ・イソラによるモダンな柄も気に入っています。もう10年は使っていますが頑丈で、蚤の市で買った陶器を入れたりと北欧の旅でも頼れる存在。夏場はとくに出番の多い2つのバッグです。

7/21

豆に夢中

北欧では夏にかけてえんどう豆が出回ります。夏の北欧を旅すると、市場で買った豆をスナックのように歩きながら食べる人がいて、そのまわりには皮が散らばっているのがお約束。皮は硬いので中の豆だけを生でぽりぽりと食べるのです。〈ロールストランド〉で数々の名作を残したデザイナー、マリアンヌ・ウエストマンの代表作〈ピクニック〉シリーズには、ニシンやディル、ビーツなど北欧の人々が好む食材が描かれていて、えんどう豆の姿もあります。わが家ではテーブルクロスでこの柄を使っていて、ころころと中身の豆の粒が描かれた絵と合わせて、スナップえんどうを縦に割ってサラダに入れてみました。

7/22

ウトヤ島、オスロでテロがあった日

オスロの夏空を思う

オスロの町を舞台に映画を撮り続けるヨアキム・トリアー監督。最新作『わたしは最悪。』で話題となったのは、主人公のユリヤが町を駆け抜けるシーン。恋する2人以外の時が止まったかのような映像で、夏の空だけが2人とともに動いていました。日が沈んでからも薄闇が続く北国ならではの夕暮れ時や、朝焼けが広がる明け方の空を見て、2011年の夏と、そこからオスロの人々が歩んできた時間に思いが巡りました。本作はきっと、この町に生きる人々に贈る讃歌でもあるのだな、と。エリック・ポッペ監督の『ウトヤ島、7月22日』は得体の知れない犯人による凶行をドキュメンタリーのように追った作品。見続けることが苦しく辛い映画でしたが、ノルウェーを思う時に外せない作品です。

7/23

アルフ・プリョイセンの誕生日

スプーンおばさんの歌

子どもの頃に大好きだったアニメ『スプーンおばさん』がノルウェー生まれの物語だったと知ったのはだいぶ後になってから。児童作家のアルフ・プリョイセンによる人気シリーズで、世界各国で翻訳版が出ています。アニメの主題歌『夢色のスプーン』はいまもそらで歌えますが「しあわせとふしあわせをかき混ぜるスプーン」とは、いま思うとなかなかに深い歌詞。作詞は松本隆、作曲は筒美京平と日本が誇る黄金のコンビだったのですね。プリョイセンは歌手としても活動し、ラジオの子ども番組で歌ったり、レコードも出していた人。日本版の主題歌も聞いたら喜んだでしょうね！

7/24

大暑

北欧ビールで暑気払い

友人と暑気払いに北欧のビアバーへ。ノルウェーの醸造所〈オスロブルーイング〉が手がけるバー〈オル東京〉の新店舗が東京・小伝馬町にできたので訪れたのでした。「オル」とはノルウェー語でビールの意味。北欧のクラフトビールはヘイジーと呼ばれるジューシーで濁りのあるスタイルや、酸味のがつんときいたサワーエールが得意で、この日もそれぞれヘイジーとサワーを注文。暑いなか、颯爽と着物を着こなして登場した友人のたたずまいが粋で、モダンで涼しげな柄には夏バテ気味だった気持ちも癒やされました。帯の模様がどことなく北欧っぽくて、オルのコースターともお似合いです。友人も私も北欧系ビールが大好き。持つべきものは味覚と笑いのツボが合う友人です。

久住高原のアイスランド

7/25

大分県の久住高原には、アイスランドが味わえる場所があります。その存在を知ったのは大使館でのレセプション。アイスランドの国民食ともいえるスキールの試食会があり、作っていたのが久住高原にある〈菓房いずみや〉さんでした。看板商品のアイスクリームを作る過程で出る低脂肪乳をなんとか再利用できないかと考えるうちにスキールの製法にたどり着き、試行錯誤の末にできた味は当時の大使をはじめ、「農場で食べる昔ながらのスキールのよう」と駐在中のアイスランド人にたびたびお墨付きをいただいたそう。いずみやへのドライブ中に見える阿蘇のダイナミックな山並みにも、アイスランドの景色を思い出しました。

7/26

糸島のマイヤ・イソラ

福岡の糸島にアトリエを構えるテキスタイルブランド、〈マクモ〉。デザイナーの福山みきさんとは何年も前の布博で知り合って、アトリエにもたびたびおじゃましています。ビビッドな色づかい、神が降りてきているかのような発想、どことなく60〜70年代っぽいタッチから、私は勝手に「日本のマイヤ・イソラ」と命名。バッグやハンカチなどいろいろと愛用していますが、テキスタイルが積まれたアトリエに来ると我を失いそうに盛り上がってしまうのも〈マリメッコ〉に行く時の感覚に似ています。染めを担当する夫の智太さんから、色合わせや染めの工夫について話を聞いていると、また尊さが増していく。布好きとしてはもう盛り上がりすぎて倒れてしまいそうな糸島来訪なのです。

7/27 日本のキャビア

スウェーデン人の冷蔵庫に必ず入っているといわれるチューブ入りの魚卵ペースト。青いチューブのカッレスキャビアは１９５４年からのロングセラーです。卵料理やじゃがいも、クネッケと呼ばれる硬いパンにつけて食べるのが定番で、わが家でも朝食の友。北欧を旅すると毎回買って帰るお気に入りです。博多空港でたまたま見つけたのが、チューブ入りの明太子。ごはんにかけてよし、そうめんやパスタの味付けに使ってもよし。パンやゆで卵にも合います。北欧から友人が訪ねてきた折にはぜひ、ジャパニーズ・カッレスキャビアとして教えてあげたいものです。ちなみにカッレスキャビアのチューブに描かれている少年は社長の息子。

7/28

冷蔵庫のおみやげ

少しずつ増えていく冷蔵庫のマグネット。木製のムーミンやミイのマグネットはフィンランド、頭にキャンドルをつけたルシア祭の女の子はスウェーデンから。オイバ・トイッカのバードをかたどったマグネットは、日本のイッタラ展の限定グッズでした。横にいるあひるの足は、最初の北欧旅行で買った〈アーリッカ〉のマグネット。陶器のマグネットはバルト三国を旅した友人からもらったリトアニアのおみやげ。何の形だろう？と調べてみたら、糸巻きをかたどった伝統的な装飾ベルプステとわかりました。各国の個性ひしめく冷蔵庫です。

さよなら中央郵便局

7/29

ヘルシンキ中央駅のすぐ横にあった中央郵便局が閉鎖となったのは2020年の7月29日。ムーミン柄の切手などおみやげ探しにもよく通った場所で、マリメッコ柄の小包用ボックスはいまも資料入れとして使っています。旅の途中でハガキを出したり、荷物を送る時もお世話になり、以前は館内にカフェや郵便博物館も併設されていて、昔使われていた郵便仕分け棚がそのまま残されていたカフェの雰囲気が好きでした。なくなる前に行きたかったけれど、コロナ禍で断念。この郵便局からハガキを出すと、ヘルシンキの町並みの消印を押してもらえると聞いて友人にお願いしたところ、7月29日付の消印で送られてきました。いままでキートス、ありがとう！ 送ってくれた友人にもキートス！ 消印付のポストカード、大事にします。

7/30

サーモンの日

サーモンの食べ方

おいしいスモークサーモンが手に入ったら、オープンサンドにしていただきます。用意するのは白いパンとスクランブルエッグ。ニシンにはライ麦の黒パンが合いますが、「サーモンは小麦の白いパンでないとダメ！」と北欧の友人たちが主張するとおり、わが家でもサーモンには白いパン。そして卵がいい仕事をするのです。スモークサーモンがたっぷりある時にはじゃがいもと重ねて作るサーモンプディングを。茹でたじゃがいもをスライスしてサーモンと交互に重ねていき、最後に卵と生クリームをあわせたアパレイユをまわしかけてオーブンで焼きます。食べる時にはさらに溶かしバターをかける、カロリー計算などどこ吹く風のレシピ。調味料は塩こしょう、たっぷりのディルで。

7/31

北欧に触れる美術館

北欧関連の展示もたびたびしている東京都美術館。67万人近くの入場者数を記録した「ムンク」展、椅子研究家の織田憲嗣氏による圧巻のコレクションを披露した「フィン・ユールとデンマークの椅子」展など王道をいく企画のほか、ノルウェーの人気絵本から生まれた「キュッパのびじゅつかん」展など遊び心たっぷりで夏休みにぴったりの企画もありました。上階にあるラウンジや、その奥にある小さな図書室は穴場で、フィン・ユールやイブ・コフォード・ラーセン、ナンナ・ディッツェルといったデンマークを代表するデザイナーの椅子に実際に座れます。外の緑を眺めながらラウンジでくつろいでいたら、おなじくフィン・ユールの椅子を揃えたデンマークのオードロップゴー美術館のカフェで、のんびり過ごした時間を思い出しました。

8/1

キング・オブ・セイラー

85歳のノルウェー国王ハーラル5世が、ヨットの世界選手権に出場して10位とのニュースを聞いて驚きです。東京オリンピックには選手として来日し、その後、3度のオリンピックに出場。ヨット歴はじつに75年！ いまも現役でレースに出場している本物のキング・オブ・セイラーです。私は学生時代に夏にヨット実習をとっていたので、セーリングへの憧れはいまも尽きず。ピンク色のショートパンツはノルウェーのマリンスポーツブランド、〈ヘリーハンセン〉のもの。学生時代は「ヘリハン」と呼んで、HHのロゴマークは憧れでした。江ノ島で毎年開催されているノルウェーフレンドシップ・ヨットレースは、ハーラル国王の来日をきっかけに創設された競技会で、勝者にはバイキング船の形をした優勝カップが授与されます。

8/2

ハーブの日

コーヒーよりもハーブティー

北欧はコーヒー党が多いですが、エストニアではハーブティーが人気。カフェでオーダーしたら、フレッシュなミントをはじめ数種類のハーブの葉がたっぷりと入っていました。エストニアの暮らしには古くからハーブが欠かせず、森でとれる数百種類ものハーブは風邪予防やスキンケアに使われるほか、かつては軍隊でも怪我の治療に用いられていたそう。ハーブに詳しい薬学博士にエストニアの森を案内をしてもらった時には「自由にとっていいけれど、とりすぎないこと。聖なる地域ではとってはいけない」と教えてもらいました。空港で買ったハーブティーもおいしくて、わさわさとミントの葉が入ったハーブティーを家でもやってみたくなりました。

今日は誰の名前の日？

8/3

フィンランドやスウェーデンには「名前の日」があります。クリスマスや元旦などをのぞく362日に名前がつけられていて、自分の名前がついた日にはお祝いをするのです。もともとはヨーロッパを通じてあった慣習で、かつては誕生日に劣らぬお祝いをしていたそう。フィンランドやスウェーデンではいまもお祝いをする習わしが残っていて、カレンダーを見ると各日に名前が書いてあります。8月3日の名前は「Linnéa（リネア）」。スウェーデンが生んだ植物学の父、リンネに由来する女性の名前で、北極圏に生息するリンネソウの名前でもあります。名前の日はインターネットでも「nimipäivät」や「namnsdagar」で検索すると調べられるので、自分の誕生日や記念日を調べてみてはいかがでしょう？

ELOKUU
AUGUSTI · AUGUST

KESKIVIIKKO ONSDAG WEDNESDAY	TORSTAI TORSDAG THURSDAY	PERJANTAI FREDAG FRIDAY	LAUANTAI LÖRDAG SATURDAY	
1 re da, Gerd	2 Kimmo Holger	3 Nea, Neea, Linnea, Vanamo Linnea, Nea	4 ◑ Veera Vera	Salm Gurl
8 va, Sylvi, Sylvia lvia	9 Erja, Nadja, Eira Eira, Natalie, Nadja	10 Lauri, Lasse, Lassi Lars, Lorentz, Lasse	11 ● Sanna, Susanna, Sanni, Susanne Susanna, Susanne, Sanna	Kiira, Klara,
15 ana, Marjo, Marja, Marianne arita, Marianne, Marlene, Molly	16 Aulis Brynolf	17 Verneri Verner, Veronika	18 ◐ Leevi Bo	Maun Magn

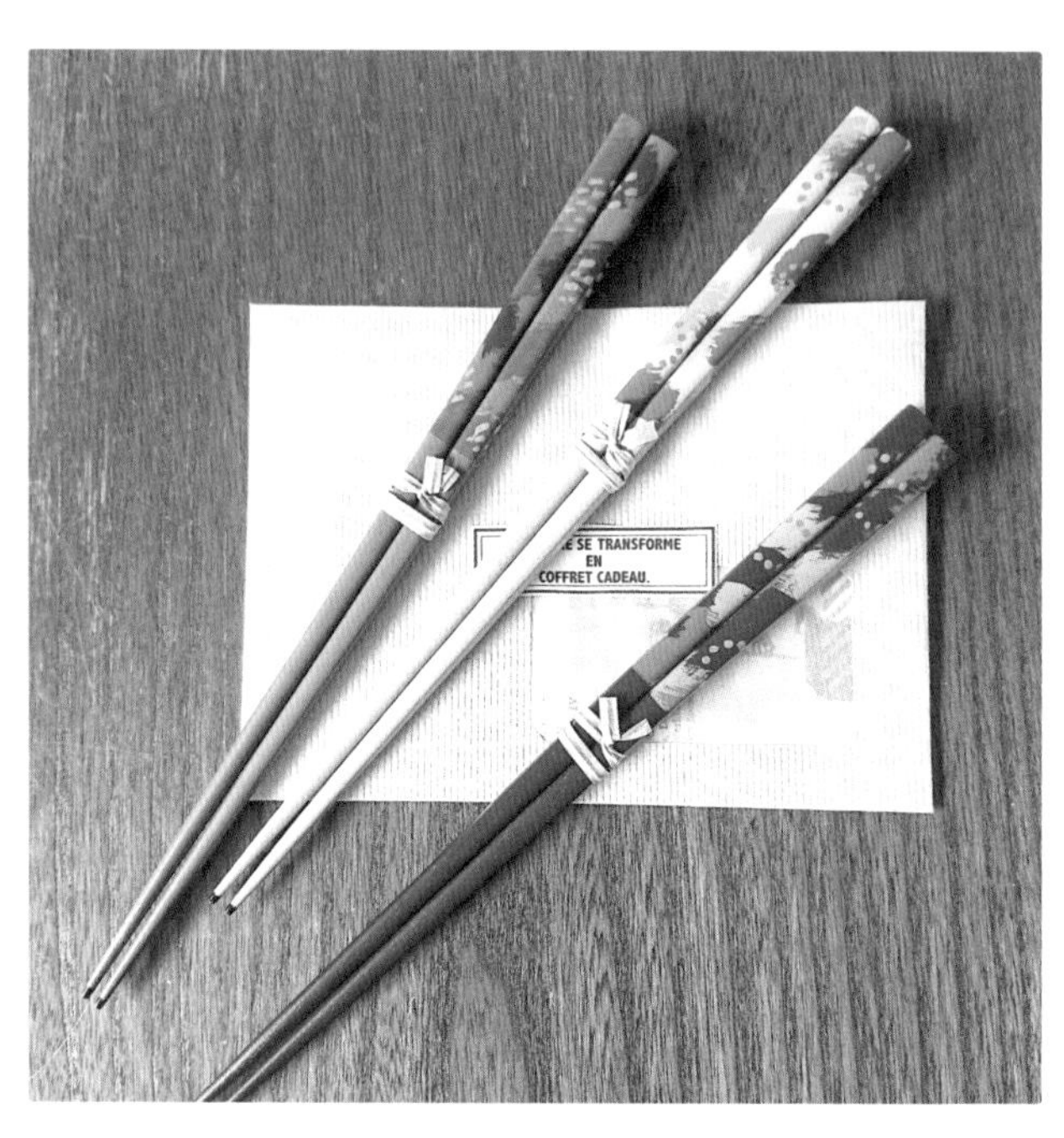

8/4

箸の日

理想のお箸

北欧の食器にも合うお箸がないかしらと思い続けて数年。ついによいものを見つけました。会津の漆作家〈ほくるし堂〉さんが作る箸は雪、土、雨と名付けられ、自然の景色を映した色合いが素敵です。〈アラビア〉のティーマなど北欧の食器にも合う箸をイメージして作られたもので、ほくるし堂の屋号も北欧と東北にかけた名前。鳥や花などのモチーフを北欧らしい色彩とタッチで描いたお椀やお皿も愛らしく、会津の赤べこを青の花文様で彩ったボタニカルべこなんていう可愛いコもいるのです。〈マリメッコ〉のウニッコ柄を漆で描いた汁椀なんかもあったらいいなあ、コラボしないかなあなんて秘かに思っております。

8/5

世界ビールの日（8月第一金曜日）

北欧ビールが飲みたくなったら

クラフトビールのおいしさを教えてくれたのは、デンマークの〈ミッケラー〉。そしてビールの奥深さ、おもしろさを日本で教えてくれるのが三軒茶屋のバー〈ピガール〉です。上陸前からミッケラーや北欧のクラフトビールを積極的に紹介していて、スウェーデンのクールな醸造所〈オムニポロ〉を知ったのも、ノルウェーの〈ラーヴィグ〉を知ったのもここ。この店で北欧の醸造家やビール業界の人々にも会えました。オーナー夫妻のヒデさん、チエさんと北欧のおいしい話をするのも楽しく、年に一度、研修として北欧をはじめ欧州のビアバーや醸造所をめぐる2人のビール愛と知識はクラフトビール界の宝。北欧ビールが恋しくなったら向かう場所です。

8/6

広島原爆の日

広島の町を歩いて

初めて広島を訪れたのは2002年のこと。ベルリンのユダヤ博物館による大規模なインスタレーションがあると聞いて、ちょうどいい機会だからと原爆ドームと平和記念資料館もまわったのでした。広島といえば日本でデニッシュを広めた〈アンデルセン〉が創業した土地。イベントでご一緒するようになり、ふたたび広島を訪れることができました。最初の来訪時には平和記念資料館の展示に圧倒されて町を歩いた記憶がほとんどないのですが、再来訪では朝の公園を散歩して、元安川や平和大通りにある原爆の記念碑や、平和資料館のある袋町小学校など町中に点在する記録も見て回ることができました。北欧とのつながりで、広島を知る機会が増えたのはありがたいことです。

8/7

立秋

モーニングルーティン

暦の上では秋となっても、うだるような暑さが続いてやる気の出ない朝。とりあえず洗濯物を洗濯機に放り込んで、スイッチオン。これが私のモーニングルーティンです。わが家の洗濯機はドイツの〈ミーレ〉のドラム式で、使い始めて間もなく20年。新婚当時はひるむ金額でしたが、ドラム式を諦めきれず、えいやと思いきって買ったのは正解でした。北欧でも高温で洗えるドラム式が一般的ですが、ほんとによく汚れが落ちるんです。暑さに息も絶え絶えな朝、ビシッときれいに洗い上がった洗濯物を庭に干すと、ひと仕事した気分になって気持ちも晴れ晴れ。この時期は乾くのもあっという間ですしね！　無駄のないデザインも気に入っていて、フィンランドテイストの浴室にもぴったりでした。

8/8

世界ねこの日

猫とともに生きる

日本の猫、北欧の猫、歴代の愛猫。古今東西の猫が集まったわが家のキャッツコーナーです。木製の猫や陶板はノルウェーやデンマークの蚤の市で見つけたもの。日本からは人形作家のにしおゆきさんによる陶製の「長靴をはく前の猫」と、イラストレーターの北岸由美さんのキャンバス絵に猫キャンドル。壁の版画は私が小学生の時に作ったもので、モデルは横の写真にいる愛猫タバサ。わが家のウニみたいな木彫りのハチワレちゃんの隣には兄弟のコハダ、その横には子どもの頃に初めて懐いてくれた野良猫のトラちゃんの写真。ジャズミュージシャンのこともキャッツと呼ぶので一緒にコーナーに。こうして見ると猫に歴史あり、それは私の歴史でもありました。

8/9

長崎原爆の日、
トーベ・ヤンソンの誕生日

平和を守る番犬たち

8月9日は長崎原爆の日。そしてムーミンの作者、トーベ・ヤンソンの誕生日です。フィンランドが誇る作家の若き日を描いた映画『TOVE　トーベ』では、戦時下でナチスやロシアの脅威も迫るなか、雑誌『ガルム』でヒトラーやスターリンの風刺画を描き続けたトーベの姿が映されていました。ガルムとは北欧神話に登場する、冥界の番犬の名前で、鋭い政治風刺で社会に警鐘を鳴らしたのです。ここに描かれたトーベのイラストが私は大好き（ムーミンの原型となるキャラクターも登場しているんですよ）。「戦争反対」。トーベのように『ガルム』のように、どんな時代にも必要な時にそれを大きな声で言える者でありたいと思うのです。

8/10

桃くらべ

子どもの頃はとにかくスイカ好きでした。大人になってからはスイカを食べなければ夏が始まらないくらいスイカ好きでした。大人になってからは桃を食べなければ夏が終わりません。日本の桃って本当においしいですよね。好物の福島の桃をいただいたので、ちょうどいい硬さになるまで、ノルウェーの桃に入れておきましょう。ノルウェー語で桃と名付けられた紺色のガラスボウルは底を種に見立て、そこから伸びるように筋が刻まれています。北欧では種が目立つ平べったい蟠桃が一般的ですが、そのイメージでしょうか。8月にデンマークを訪れた際、友人の家で毎日のように頃合いになった蟠桃を食べていました。いまごろ海の向こうでも夏の桃を楽しんでいるでしょうか。

8/11

山の日

いつか行きたい山

「ニルス」や「名探偵カッレ」シリーズなどスウェーデンを代表する児童文学の新版で挿絵を手がけているイラストレーターの平澤朋子さん。平澤さんの描く北欧の風景が好きで、アトリエの壁のてっぺんにもノルウェーの港町のポストカードを飾っています。雪と氷に覆われた山を背景にカラフルな壁色の小さな家が点々と並ぶ景色は、いつか現地で見てみたいもの。他にも北欧で訪れた森やサマーハウスを思い出させる絵や、きのこやシダが生い茂る森など素敵な作品を描かれています。そうそう、ニルスとともに旅をするガチョウのモルテンも、歴代ピカイチの可愛さなのです。

8/12

映える器

パスタもいいですが、素麺も合います。料理が地味だと、食器のデザインが引き立ちます。北欧の器が可愛いのは、もともと料理自体が地味だからなのかもしれません。逆に現代的な北欧料理レストランでは、日本でよく見るような真っ白やグレーのざらりとした平たい大皿が人気。食材の色や盛り付けの華やかさとぶつからず、料理のあしらいを際立たせるのでしょうね。写真のお皿は、スウェーデンの〈ロールストランド〉製。カレーやシチュー、パスタの時に出番が多いですが、麻婆丼や中華あんかけなどもいけます。地味めの料理の時こそ、北欧の器が本領発揮です。

思い出のバッグ

アトリエの扉の横には、よく使う小さめのバッグをかけています。見るたび「ふふふ」とうれしい気持ちになるのは、刺繍のついた小さな手提げバッグ。スウェーデンの蚤の市をめぐるツアーを企画した際に参加した方が作ってくれたもので、バンダナを巻いた女性は私なのです。「あんまりご本人に似ていると、持ちにくいかと思って」との心憎い気遣いも。裏地には一緒に訪れた店で購入したビンテージの生地が使われていました。作った方はいまでは〈pieni puu〉の屋号で刺繍のオンラインショップもスタート。子育てをしながらも好きなことを諦めたくない、その思いを後押ししたのは北欧の旅がきっかけだったそう。そんなエピソードにも「ふふふ」となってしまうのです。

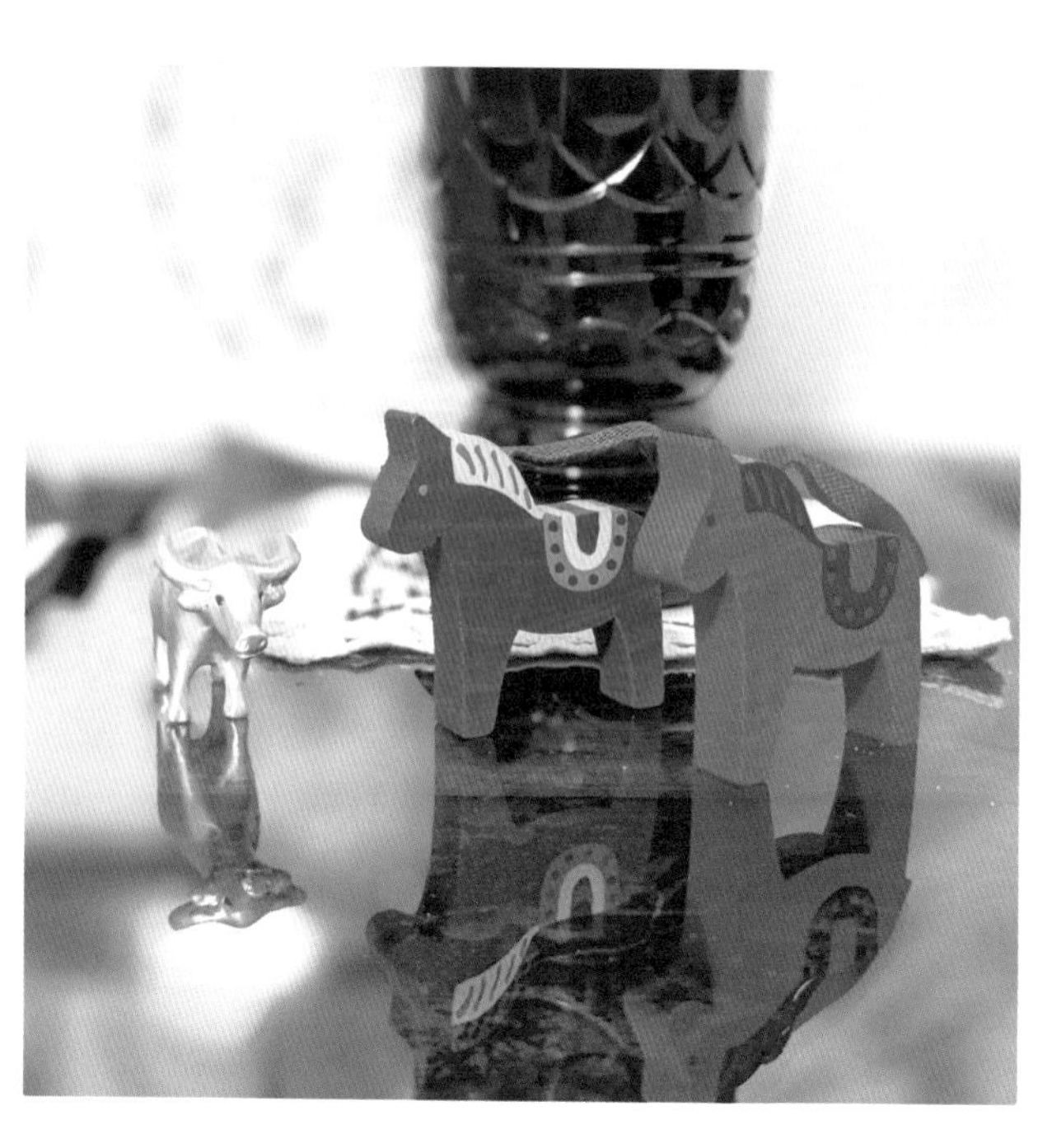

8/14

スウェーデン式の迎え馬

お盆の迎え馬には、スウェーデンで買ったダーラナホースのオーナメントを置いています。母が見るなり気に入って、「これちょうだい」と自分のものにしてしまったもの。ダーラナホースといえばおみやげの定番です。「本物のダーラナホースじゃなくていいの？」と一応聞いてみたのですが「これがいい」と即決で、実家にずっと飾ってありました。こんな迎え馬でもいいのだろうかと思いつつ、これなら母もきっと喜んで乗って帰ってきてくれるはず。ちなみに送り牛も、母のお気に入りだった造形作家の秋草愛さん作の牛にしています。

8/15

終戦記念日

その他を知ろうとすること

終戦記念日に読み返したい本。マイナーな言語を担当する翻訳者たちによる、なぜその言語を選んだのか、そしてマイナー言語ゆえの悩みやエピソードが綴られた1冊です。北欧からはノルウェー語翻訳の青木順子さんが登場。ノルウェー語がマイナー？　とはちょっぴり驚きでしたが、ノルウェー語と歩む人生に笑ったり考えさせられたり。この本は発売当初から話題となり、人気ラジオ番組に翻訳者たちが出演して「翻訳者サミット」企画が実現。印象に残ったのが「虐殺や侵略を防ぐためにも他を知ることが大切」との言葉でした。知らない国への興味や学びは人生を豊かにしてくれるだけでなく、恐ろしい戦争を避けるために必要なことなのだと改めて胸に刻みます。

オーガストの食器

声を大にして言いたいのですが、ノルウェーのビンテージ食器って可愛いのです。北欧で可愛いデザインというとフィンランドやスウェーデンの独擅場のように思われていますが、ノルウェーにも！　可愛らしい器が！　たくさん！　あるんです。オーガストの名がついたシリーズは自分が8月生まれなこともあり、とくに気に入っているもの。それにしても色合いといい描かれているモチーフといい秋の雰囲気。やはり北欧の人にとっては8月はもう秋の始まり、収穫の季節なんですね。〈スタヴァンゲルフリント〉というメーカーで作られていたもので、名前の由来であるスタヴァンゲルの町はフィヨルドに近い美しい港町。おいしいクラフトビールの醸造所もあって、いつか行ってみたい町のひとつです。

臭い缶詰の楽しみ方

世界一臭い缶詰として知られるシュールストレミング。塩漬けして発酵させたニシンを缶詰にしたもので、缶の中でも発酵が進みます。きちんと発酵する前に食べてしまわないよう、スウェーデン本国では8月の第三木曜日がシュールストレミングの解禁日とされていました。「クサヤの6倍の臭さ」と悪名高い缶詰ですが、食べ方のコツを知っていれば意外とイケる味、と私は思います。まず開缶は水を張ったバケツの中で。発酵が進んでいると飛び散って大惨事になるためです。汁気をふいて（←ここ肝心）サワークリームと刻みたまねぎ、じゃがいもと一緒にクラッカーにのせると、ぐっと食べやすくなります。手に入ればぜひアクアビットなど蒸留酒と一緒に。最後、缶詰に残った汁はトイレに流すのがおすすめです。

野尻湖畔の夏の家

8/18

中高生から大学生にかけて毎夏、1週間ほど過ごしていた野尻湖畔のキャンプ場。東京YMCAが主催するキャンプに参加していました。電気の通っていない小屋に寝泊まりし、夜はランプを灯して生活。みなで食事をとるホール以外には時計がなく、起床や食事、水泳などのプログラムは鐘の音を聞いて行動します。朝起きて、体操、礼拝、食事、片付けや掃除もして、日中は泳いだりヨットに乗ったり。夕方には30分ほど「静かな時間」があって、文字どおりおしゃべりなしで静かに過ごします。夜になると真っ暗闇で、懐中電灯は必須。でも慣れてくると電灯なしで歩きまわれるようになるのですけれど。思えばこれって北欧のサマーハウスの過ごし方みたいです。卒業してからもたまに遊びにいく野尻湖。森と湖のある北欧に深く惹かれるのは、この原体験があるからかもしれません。

8/19

サウナでリフレッシュ

野尻湖には国際村と呼ばれる別荘地があります。海外から来た宣教師や教師が多く住んでいたことから、子どもの頃は「ガイジン村」なんて呼んでいました（いまでは不適切な表現ですね）。そのすぐそばにフィンランド式サウナができたと聞いて、寄ってきました。宿泊もできるLAMPでは、夏は湖でカヌーやSUPが体験できて、秋はきのこ狩り、冬はクロスカントリーも楽しめます。サウナ小屋から湖までは少し離れているため、体が熱くなったら黒姫山からの伏流を引き入れた樽にザブンとつかるのですが、これが気持ちいい！　サウナ後はハンモックに揺られて空と森を眺めながらウトウトするのが至福の時間。北欧やドイツ風の別荘を眺めながら周辺を散策するのも楽しいですよ。

晩夏のブラックベリー

野尻湖近くの道の駅で見つけたブラックベリー。とれたてのツヤツヤでおいしそうな姿に思わず口に放りこみたくなるのですが、いかんせんそのまま食べるには酸味と渋みが強かった。砂糖をかけてひと晩置いてから、翌朝ヨーグルトにかけていただきました。砂糖をかけるだけの火を通さない即席ジャムはデンマークの友人がよく作っていて真似するようになりました。これだと生の食感も残っていいんですよね。ただ日本の夏ではあっという間に悪くなってしまうので、早々に火を通してジャムに。パックいっぱいのベリーもジャムになったら、あっという間に食べてしまいました。

8/21

おいしいバターの日

バターがあれば

初めての北欧旅行ではホテルの朝食ビュッフェがあまりにも簡素で驚きました。パンとチーズとハムなどのコールドカットが少し。野菜はほとんどなし。でもバターとチーズがとてもおいしくて、次第に「これだけあればじゅうぶん」と思うようになるのでした。北欧はどの国もバターがおいしくていつも持って帰りたいと思うのですが（実際、何度か持って帰りました）、わが家の定番は〈明治〉の発酵バターに落ち着きました。コクがあって北欧バターに負けないおいしさ。大きな塊で購入して、2つに割ってデンマーク製のステンレスのバターケースに入れています。スウェーデンの友人が「よくバターを出しておくのを忘れて、硬くて横から削りにくくて、上からこそげるようになくなっていく」と話していましたが、わが家でもよくそうなっています。

8/22

ビーツがいっぱい

長野の道の駅ではビーツも手に入ったので、グリルしていただきました。皮をむいてふたつに割ると、中まで真っ赤。切っているとまな板も赤くなってきます。北欧で肉や魚料理のつけあわせといえばビーツ。サラダにもよく使われ、地味になりがちな伝統料理の彩り担当でもあります。瓶詰めの酢漬けビーツはレストランでも家庭でもおなじみの味で、日本でも手に入るもの。生のビーツはまだまだめずらしいので、日本で手頃に見つかるとうれしいんですよね。大きめに切って、天パンいっぱいに並べてグリルにして、塩とオリーブオイルとバルサミコ酢でシンプルにいただきました。北欧ではベジタリアンメニューとしても大活躍で、ステーキのようにいただくこともあるんですよ。

8/23

ミートボールの日

ミートボール七変化

スウェーデンにはシナモンロールの日やワッフルの日などいろんな食の日があって、8月23日はミートボールの日。ミートボールは北欧各国どこでも親しまれる味ですが、スウェーデン人のミートボール愛は一段と深い気がします。友人たちが作るのは大抵つなぎが少なめで、肉々しい味が特徴。牛肉や豚肉を使うことが多く、小さめの丸型が一般的（デンマークやノルウェーは小判型が多いのです）。ブラウンソースとリンゴンベリージャムを添えてマッシュポテトと食べるのが定番ですが、イースタという港町で食べたミートボールのオープンサンドがおいしかった！トマトソースをたっぷり敷いた上にミートボールをのせて、イタリアンパセリとパルメザンチーズを少し。いつもの食べ方に飽きたら、こんなスタイルもいかがでしょう。

8/24

処暑

マリメッコのてるてる坊主

アメリカのディスカウント小売店とコラボした、お手頃ラインの〈マリメッコ〉のワンピース。ガボッとしたシルエットで町で着るにはちょっとやぼったかったかなあ、としばらく出番がなかったのですが、海に着ていったら大正解。子どもの頃によく使っていた、水着から着替える時のゴム入りタオルみたいに中で着替えができて便利なのです。あの、首だけ出して着替える様子がてるてる坊主みたいになるやつです。サラッとしたコットンで砂も付きにくくて海には完璧。キャミソールワンピースもスウェーデンのブランドで、この2枚の北欧ワンピースが海では大活躍。今年はあと何回、着られるかなと庭先に干す夏の日です。

8/25

ツナギの季節

甲子園が盛り上がる8月下旬、北欧では新学期がスタート。この時期にスウェーデンのルンドを旅していたら、町のあちこちでカラフルなツナギを着た学生たちの集団に遭遇しました。見ると何やら不思議な儀式のようなことをしています。新入生たちが先輩に命じられて、ちょっとおバカなことをさせられるのがお約束なのです。ルンドは大学の街。スウェーデンで2番めに古い歴史をもつルンド大学があって学生や大学関係者が多く、それだけに入学の儀式を目にすることが多かったのかもしれません。こじんまりとして、あてなく歩くのも楽しい町はどことなく東京・谷中と似ています。当てずっぽうで入ってもおもしろい、小さな店が多いからかもしれません。

8/26

犬の日

北欧の犬、日本の犬

オスロの友人宅で数日、滞在していた時のこと。ちょうど向かいの部屋に柴犬が暮らしていて、朝起きるとよく目が合いました。柴犬や秋田犬は人気があるようで、道で散歩しているところに出くわしたこともありました。蚤の市で見つけたこの絵本は、人間の家族と猫と一緒に暮らす老犬の物語。だんだんと歩けなくなり、寝て過ごす時間が増えて、最後に息を引き取り、庭に埋葬されて、その後また家族は普通の暮らしに戻る、そんなお話でした。どうやら図書館の除籍本だったらしく、後ろを見るとたくさんの貸出スタンプが押されていました。子どもの時に出会っていたら泣いてしまったかな、ショックだったかな。それとも大好きな1冊になったかなあと、ページをめくりながら思うのです。

8/27

手押しで芝刈り

暑さがひと段落した辺りで、見て見ぬ振りをしていた芝の手入れを。電動の芝刈り機も試してみましたが、最終的に行き着いたのは〈ハスクバーナ〉の手押し芝刈り機。わが家のように敷石があり、花壇との境界線など凹凸のある庭には、小回りのきく手動式が合うようです。デザインがシンプルで、使わない時にはバラしてしまうことができるのも便利。刈られた芝がバスケットにたまっていくのが見えると単純にやる気も出ます。森林や造園用器具を揃え、プロの信頼も厚いスウェーデンのハスクバーナ。そういえば実家のミシンもハスクバーナでした。重くて出し入れが大変で、糸の調整にも手こずりましたが、デニムでも革でもがんがん縫えて頼もしかった。あれから数十年、同社にまたお世話になっています。

8/28

実家のリンドベリ

壁紙好きは母譲りです。私が使っていた部屋の壁紙がある日スティグ・リンドベリのデザインになっていた時は「なぜ私が巣立った後に」と呆気にとられました。以前は英国テイストだったのがいつからか北欧寄りになっていき、母の寝室もリンドベリの柄に。ババーンと部屋全体に貼ってあるのを見て、私もいつかこんな風に思いきりよく使えるようになるのだろうかと思ったものです。そういえば照明好きも母譲りかもしれません。ベッドサイドにある船用の照明を「いいでしょう」と母がうれしそうに話していたのを思い出します。「余っているから持っていっていいわよ」とくれたリンドベリの壁紙。どこか小さな壁に貼るか、スツールの座面や家具の一部に貼るか。どう使おうかと思案中です。

8/29

ころころ花のいまむかし

実家の棚にあるドイツの〈ローゼンタール〉製コーヒーセット。母が若い頃に仕事で訪れたコペンハーゲンで「世界にはなんて可愛いものがあるの!」と感激して買ってしまったのだそうです。ピンクと黄色のころころとした花の柄は子ども心にも「可愛いな」と思ったのを覚えています。手がけたのがデンマークのビヨン・ヴィンブラッドと知った時にはびっくり。ヴィンブラッドといえばデンマークの国民的デザイナーですが、人物画のイメージが強くて結びつかなかったのです。でも、わが家にあるヴィンブラッドの塩入れにも、ころころとした花が描いてありました。無意識に同じような柄を選んでいたんですね。

8/30

ザリガニ vs アマエビ

スウェーデンやフィンランドで夏の終わりの風物詩といえばザリガニパーティ。お酒を片手に茹でたザリガニをひたすら食べるのです。ノルウェーで夏に欠かせない味といえばアマエビ。あえてどちらかに軍配をあげるとすれば……食べやすさでは圧倒的にアマエビです。味も濃厚で、ノルウェー産のアマエビはとってもおいしい。ザリガニは殻が硬いので剥くのにコツが必要です。欧米の食卓では、すする音は厳禁といわれますが、この日ばかりはチューチューとザリガニを吸うのはＯＫ。独特のコクがある味わいも慣れるとやみつきになります。ザリガニパーティでは、月男と呼ばれる飾りが欠かせず、三角帽をかぶって子どものように歌って騒ぐのがお約束。このお祭り感がまた癖になるのです。

8/31

ベーコンの日

パンケーキと食べたい味

週末のブランチに焼くことの多いパンケーキ。トッピングで気に入っているのがベーコンとリンゴンベリーのジャムの組み合わせです。スウェーデンにはラグムンクと呼ばれる伝統的なパンケーキ料理があって、じゃがいもをすりおろして入れたパンケーキにカリカリのベーコンとジャムを添えて食べるのです。この甘じょっぱい組み合わせが気に入って、わが家では普通のパンケーキにも合わせています。パンケーキをのせたお皿は、〈アラビア〉から出ていた〈アアム〉と呼ばれる柄。「アアム」とはフィンランド語で朝を意味する言葉で、朝ごはんにもよく使っています。

家の改築に向けて資料や見本を広げていたら、いつの間にかスヤスヤ。

9/1

猫がみまわり中

「注意！ 猫が見回り中です」と書いてあるこの看板はフィンランドに暮らす友人からのおみやげ。ショップに掲げていたのですが、猫店員のウニさんにシルエットがそっくりです。フィンランド語で猫はキッサ。ちなみにぶたはシカで、うさぎはカニで、おおかみのことはスシといいます。思わず漢字をあてたくなる響きです。フィンランド語翻訳の第一人者である稲垣美晴さんの本『フィンランド語は猫の言葉』には、フィンランド人が相槌を打つ時に「ニーン、ニーン」と言う様子が猫みたいと思ったエピソードが綴られています。ニーンやノニーンは「そうですね」とか「まあね」とか「よっしゃ」とか文脈でニュアンスが変わる言葉。大阪人の「せやな」みたいなものでしょうか。

9/2

わが家のピッティパンナ

ピッティパンナとは細かく切ったじゃがいもとソーセージやベーコンなどの肉片をあわせて炒めて、目玉焼きをのせた料理。スウェーデン語で「鍋（やフライパン）の中の小さなもの」という意味で、じゃがいもが主食の国ならではの残り物ごはんです。本場のレシピとは違いますが、北欧式にパーティをした後のわが家のピッティパンナはこれ。じゃがいもと、少しずつ残ったゆで卵やサーモンなどを重ねて、半端に残ったチーズもディルもトッピングしてグラタンに。お鍋の後の雑炊みたいに、パーティ翌日に楽しみにしている一品です。

9/3

全国こけし祭り
（9月第一土日）

フィンランドのこけし

最近はカラフルな柄で仕立てたデザイン性の高いもんぺや野良着が増えています。着心地がよく、耐久性も高いおしゃれ野良着は部屋着にもぴったり。九州・福岡を中心にものづくりを紹介する地域文化商社〈うなぎの寝床〉には「ミナ ペルホネンか？」と思うような可愛い柄がいっぱいで、目に留まったのは久留米絣を使ったもの。よく見たら、こけし柄。それもフィンランドのデザインユニット〈カンパニー〉作と知ってびっくりです。カンパニーといえば世界各地に伝わる手仕事を現代風に解釈するのが得意で、もとは青森県立美術館との企画用に生みだしたデザインだとか。子どもの頃はこけしが怖かったのですが、こうなると怖くない。フィンランド経由でこけしと暮らすことになりました。

9/4

くじらの日

ひつじと馬とくじら

アイスランドの生活に欠かせないひつじ。最初の入植者とともにこの国にやって来たひつじは人々のお腹を満たし、厳しい自然から暖かく守ってきました。同じく人間を支えてきたアイスランドホースは小柄で穏やかな気質が特徴。映画『ひつじ村の兄弟』や『馬々と人間たち』を観ると、彼らがアイスランドの人にとっていかに特別な存在かがわかります。くじらもアイスランドと深い関係のある動物で、食肉として利用したほか、脂は明かりとなって暮らしを照らしました。かつては恐ろしい存在として言い伝えられてきたくじらですが、現在ではホエールウォッチングが大人気。わが家のくじらは、アイスランドのセーターを再利用して作られたもの。ひつじとくじらのコラボです。

9/5

おすすめのデニッシュ

デンマークでは「本場のデニッシュを食べるぞー！」と話題のベーカリーからチェーン店、スーパーマーケットの味までいろいろと食べ比べました。とくに気に入ったのはティビアキスと呼ばれるデニッシュ。ジャムやクリームなどフィリングなし（リモンスとよばれるペーストが入っていることもあります）で、生地のおいしさを堪能するデニッシュなのです。ビアキスとはポピーシードのことで、表面にたっぷりとまぶしてあります。ティビアキスの名のほかに、ユトランド半島ではコペンハーゲンビアキスと呼ばれているとか。日本ではなかなか巡り合えませんが、見つけたら必ず買ってしまう好きな味。ちなみにデンマークではデニッシュのことをヴィエナブロー（ウィーンのパン）と呼びます。

9/6

デンマークで柚子胡椒

デンマークに暮らす友人へのおみやげに、柚子胡椒のふりかけを持っていったことがありました。日本ならではの調味料は、料理好きや食べるのが好きな相手には喜ばれます。ふりかけをひと舐めした友人は「おいしい！」とスモークサーモンに威勢よくふりかけました。うーん斬新。でも案外とイケる味でした。残ったふりかけは花柄のプラスチック容器に。60年代に大流行した〈エリック・コールド〉の保存容器ですが、こうしてふりかけを入れるのもいいですね。友人の食卓からはいつも新鮮なアイデアをもらいます。

9/7

心くすぐる小さきもの

北欧に持っていったおみやげで、好評だったのは一筆箋。ボールペンやメモ帳、付箋など日本の繊細な文房具はどれも喜ばれるのですが、一筆箋の縦長のサイズが日本らしいとのこと。友人いわく「日本って小さいものが愛らしい」。日本酒の一升瓶がついた携帯ストラップは、会津の〈末廣酒造〉に行くといくつか買いだめしておきます。京都〈ちんぎれや〉の着物の端切れを使ったがま口や名刺入れは自分でも愛用しているもので、特別な贈り物に。手ぬぐいも定番で、縁起物や伝統の柄は話の種にもなって、日本の文化や暮らしに興味のある友人たちに好評です。

子どもの頃の仲間たち

9/8

実家で手つかずになっていた児童書を整理することに。重い腰をあげ、姉と兄と一緒に1日がかりで仕分けしました。ひとまねこざるにもぐらくん、ブルーナ、リンドグレーン。こうして見ると良書に囲まれていたんだなと親に感謝です。片付けをしながら「この絵、怖くなかった?」と姉や兄と思い出話をしたのも楽しかった。ふと手が止まったのはノルウェーの絵本『ゆかいなどろぼうたち』。北欧でこの絵本の原書を買っていたのです。作者のエグナーは作詞作曲もする多才な人物で、巻末には『カルデモンメ(カルダモン)の歌』も掲載。日本語版は原書と判型が違うため表紙の絵を描き直してもらったこと、原書の挿絵は2色刷りだったために日本の挿絵家に描きなおしてもらったことなど、版元の苦労を改めて知りました。

9/9

リサ・ラーソンの誕生日

わが家のリラ・ズー

初めてのフィンランド旅行では、ヘルシンキから電車を乗り継いでフィスカース村で開催されていた大きなアンティークマーケットに参加しました。まだ〈アラビア〉と〈イッタラ〉の名前くらいしか知らずにのぞんだアンティーク市。そこで目が合って連れ帰って来たのがリサ・ラーソンの猫でした（丸い方）。当時は大御所の作品とは知らず、「案外と値が張るのね」なんて思ったもの。いま思えば特価だったのですけれど。数年後にストックホルムのアンティーク店でまたしても目が合ってしまったのが背の高い猫。リサの師匠にあたるスティグ・リンドベリがデザインした犬もくわわって、わが家のリラ・ズー（スウェーデン語で小さな動物園。リサ・ラーソンの代表作でもあります）ができました。

9/10

行ってみたい本の町

旅に行けない日々、ガイドブックや旅の本はあまり見ないようにしていました。でも、偶然手に取ったこの本にはぐいぐいと引き込まれてしまいました。タイトルは『世界のかわいい本の街』。世界の図書館や本棚に関する著書もあるジャーナリストが、世界中のユニークな本の町を紹介する1冊です。北欧からは5カ国すべての国から本の町が紹介されていて、湖に面した本の町、本屋プロジェクトで移住者を増やしている町、白夜の訪れる本の町など、いつか訪れてみたいと思う場所ばかり。旅先では書店や古本探しをよくしますが、本のために旅をするのもいいですね。

9/11

強い女の子の名前

世界中で大ヒットした政治ドラマ『コペンハーゲン』で、デンマーク初の女性首相となった主人公の名前はビアギッテ。綴りの似ているビルギットやビアギッタも北欧諸国でよく聞く名前ですが、強さやパワフルさを意味する名前だそうで役名にぴったりです。アルヴァ・アアルトの妻であり、自身もデザイナーとして素晴らしい作品を残したアイノの名前にはオンリーワンの意味があるとのこと。ムーミンの作者であるトーベ・ヤンソンのファーストネームはバイキング時代からある名前だそう。リンドグレーンが生んだ人気キャラクター、ロッタちゃんの名前には男性的との意味があるそうです。

缶の使いみち

9/12

蚤の市で見つけるとついつい買ってしまうカラフルな缶。デンマークの〈ira〉が70年代頃に作っていた缶はいまやコレクターズアイテムですが、食器やテキスタイルとは違ってデザイナー名などの情報をたどるのは難しいもの。ある時、ビンテージ専門誌で特集されていたのを偶然に見つけて、わが家にあるグリーンの柄はフィンランドのアニタ・ヴァンゲル、オレンジ色はスウェーデン出身のエセル・ヴォン・ホーンによるデザインと判明。国境を越えたコラボだったのですね。切り紙でデザインするのが得意だったというエセルの柄は、レースペーパーを思わせる繊細な柄。普段は食べかけのお菓子を保存しているのですが、友人宅に招かれた際にケーキやパンを入れて持っていくことも。可愛いからそのまま食卓に出すこともできて、重宝しています。

9/13

ロアルド・ダールの誕生日

ロアルド・ダールの根っこ

『チョコレート工場の秘密』や『魔女がいっぱい』など、多くの物語で世界中にファンをもつイギリスの作家、ロアルド・ダール。両親はノルウェー人で、名前は探検家のロアルド・アムンゼンから名付けられています。幼少時はノルウェー語で生活していたというダールの作品には、子どもの頃に母から聞いたトロールのお話や民話が反映されているそう。毒のあるユーモアや人間の悪を切り取る洞察力は、ノルウェー仕込みでもあるのでしょうか。子どもの頃は夏休みをノルウェーで過ごし、自分の子どもたちともノルウェーの小さな村で夏休みを過ごしたというダール。ノルウェー各地で記した絵日記はイギリスの記念館に保存されているそうで、いつか見てみたいもの。

9/14

北欧料理の看板メニュー

東京・六本木にある北欧料理レストラン、〈リラ・ダーラナ〉は北欧との付き合いが深くなる前から通っていたお店。当時勤めていた職場が近く、同じく近隣に勤める友人がランチに連れていってくれたのが最初でした。テーブルの上にあるキツネの置物が愛らしくて、行くたびに撫でていたのですが後からリサ・ラーソンの作品だったとわかりました。ダーラナの看板メニューのひとつがチキン・オバジン。鶏肉とナスのグラタンで、長いことスウェーデンの味と思い込んでいたのですがスウェーデンのグラタン料理をベースにしたシェフの創作なのでした。これをバターライスと一緒に食べるのが絶品。本格的なミートボールやサーモン料理もおいしいですが、この店に来るとやっぱりこれを頼んでしまいます。

9/15

国際民主主義デー

民主主義に必要なこと

大きな選挙の前に、ふとデンマークの絵本『さるのオズワルド』を開いたら「いやだ！」と声をあげるオズワルドの絵が目に飛び込んできました。横暴な大ザルの言いなりになっていた子ザルたちですが、オズワルドが勇気を出して「いやだ！」と言ったら、みんなが後に続き、事態が改善してゆく物語。そう、選挙は政治に大きな声でNO！という日でもあります。最適で理想の候補者が見つからずとも、よりマシな方へ投票すること。仕方ないとあきらめずに、声をあげること。政治家たちの横暴や暴走を許さないよう、民主的な暮らしを守るために、まずは投票を。最近はとくに強く、そう思います。

9/16

世界バーバーデー

バリスタのいる美容室

新たに美容室を探していた時に「デンマークのプロローグのコーヒーが飲めるヘアサロンがあるよ」と教えてもらったのが東京・自由が丘にある〈ミニマルマート〉内の美容室〈W ダブル〉。プロローグといえばコーヒーマニアの間で噂のロースターです。日本でプロローグが飲める？ しかもヘアサロンで⁉ と不思議に思いつつ、これもご縁と訪れてみました。美容師の丸山裕太さんは世界を旅しながら働き方を探り、ビジネススクールのプログラムを通じてデンマークでヘアカット修行をした経験もあるユニークな経歴の持ち主。その時の縁でコーヒーも提供することになったそうで、バリスタと美容師が互いにサポートしながら働く空間作りもユニーク！ 髪もよい感じに仕上げていただいて、カット後の1杯もおいしくいただきました。

9/17

敬老の日（9月第三月曜日）

おばあちゃんの毛布

かぎ編みのモチーフをつなぎあわせたグラニーブランケット。スウェーデン語ではこの四角いモチーフをモルモルスルータと呼んでいます。直訳するとおばあちゃんの四角という意味。モルが母親で、モルモルがおばあちゃんなのです。ちなみに父親はファルで、ファルファルがおじいちゃん。父方の祖母だったらファルモル。呼び名でどちら方の祖父母かがわかるというわけです。ノルウェー語も同じルールでモルモル、デンマーク語だとモアモア。日本語では伯父伯母と叔父叔母の使い分けがありますが、こちらは血縁より年齢での区別なんですよね。

9/18

グレタ・ガルボの誕生日

ガルボの涙

銀幕の女王と呼ぶにふさわしい俳優、グレタ・ガルボ。本名はグレタ・ルイーズ・グスタフソンで、スウェーデンの出身です。サイレント映画の時代からハリウッド黄金期にかけて大スターとなったガルボのトレードマークは、アーチを描いた細い眉とウェービーな髪。メンズ仕立てのジャケットにパンツとマスキュリンな出で立ちを時代に先駆けて楽しんだファッションリーダーでもありました。36歳の若さで引退してからは表舞台に出ることなく、ニューヨークで生涯を過ごしたガルボ。日本での人気もすさまじく「神聖ガルボ帝国」「北欧のスフィンクス」の愛称で崇められていたそうです。出身地であるストックホルムのセーデルマルム地域にはガルボの銅像があり、近くのカフェにはガルボが好きだったというお菓子がいまも売られています。その名もガルボの涙。

9/19

北欧の月のお話

十五夜の月といえばうさぎですが、北欧神話で月と関係が深いのは狼。月の神マーニを追いかけている狼がいて、時に追いついて食べてしまうため月食が起こると言い伝えられています。その狼の名前はマーナガルム。月の犬という意味です。月に由来した名前といえば、2021年のユーロビジョン・コンテストで優勝して以来、世界中で爆発的な人気を誇るイタリアのバンド、マネスキン。デンマーク語で月の光を意味するバンド名は、メンバーのひとりでデンマーク人の母親をもつベーシストのヴィクトリアが命名したもの。デンマーク風に発音するとモーネスキンとなります。以上、月にまつわる北欧雑学でした。

9/20

ニトロコーヒーで涼をとる

名古屋へ遊びに行くと立ち寄るのが〈トランクコーヒー〉。コペンハーゲンで修行したバリスタの鈴木康夫さんが始めた店で、コーヒー豆のクオリティや抽出技術から接客、お店の雰囲気まで北欧スタイル。北欧で人気となったニトロコーヒーもいち早く取り入れていました。ニトロコーヒーとは、ビアサーバーを使ってアイスコーヒーに窒素（ニトロ）をくわえた1杯で、クリーミーな泡がビールのよう。初めて飲んだのはスウェーデンのヨーテボリで、暑い日に行列ができていたのを思い出します。大須で古着屋めぐりをした後に、上前津の店で1杯飲むのがお決まりのコース。ビアバーもありますし、もうひとつの北欧名物、エスプレッソ・トニックも飲めますよ。

9/21

あみぐるみと再会

大阪を旅した時に偶然、見つけたエストニアのあみぐるみ。ウィンドウに飾ってある毛糸の動物たちに見覚えがあったので入ってみたところ、エストニアの作家アヌ・ラウドさんとアヌ・コトリさんがデザインしたあみぐるみがいました。うちには2匹、エストニアで手に入れた犬がいて、いずれ仲間を増やしたいと思っていたところ、自分で編める材料セットを販売していました。大阪の南森町にある手芸店〈ておりや〉さんにはダーラナホースの看板もあり、本棚にはスウェーデン語の編み物本がたくさん。カラフルな毛糸をセンスよくディスプレイしている様子がストックホルムで立ち寄った毛糸店みたい！ とわくわくしながら店内を見学しました。

9/22

アンナ・カリーナの誕生日

アンナとヘレナ

学生時代はパリに憧れ、フランス映画を見ては「生まれ変わったらパリジェンヌになって、パリのアパルトマンに住みたい」なんて妄想していました。ゴダール作品では最初はジーン・セバーグ派だったのが、『気狂いピエロ』を観てアンナ・カリーナに心酔。『女と男のいる舗道』『はなればなれに』などを観ては「パリジェンヌって素敵」とうっとりしていました。でもアンナ・カリーナってデンマーク出身なんですよね（ジーン・セバーグもアメリカ人ですし）。スーパーモデルの頃から好きなヘレナ・クリステンセンもデンマーク人。最近は写真家としても活動し、国連で難民救済活動にも関わっているヘレナ。「世界を飛び回っているけれど、いつも心にはヒュッゲを思う気持ちがある」と話していたのが印象的でした。

秋の夜長に千年の旅

タイトルを見てずっと気になっていた話題の本『清少納言を求めて、フィンランドから京都へ』。500ページ近くありますが一気に読んでしまいました。清少納言に共感し、夢中になったフィンランド人の著者ミア・カンキマキは、「セイ」に呼びかけながら現代と平安京、日本とフィンランドを行ったり来たり。美しいもの、みっともないもの、文学について、生活について、女性について思いを巡らせます。変わり者の才女といったありきたりの清少納言評ではなく、彼女はなぜそんなにも「いとをかし」を綴ったのか、その考察が胸を打ちます。自分で感じ、考えて、綴ることの素晴らしさを教えてくれる1冊。秋の夜長のおともに、ぜひ。

9/24

発酵するおいしさ

発酵は、北欧の食に欠かせないキーワード。もともとは厳しい冬に備えて食材を保存するために生まれた調理方法ですが、いまの食業界でも、北欧の作り手は発酵を上手に取り入れることで異彩を放っているようです。発酵を意味するファーメントと、広場を意味するフィンランド語のトリを組み合わせた〈フェルメントリ〉の名で活動するのは、ビアライターの福岡桃子さん。最近は週に一度、バーを間借りしてビールをはじめ北欧のワインやサイダーも紹介中。生ビールだけでなく、ラベルの可愛い缶ビールがあることも。北欧にも足繁く通い、ビール業界を取材する彼女のおすすめビールにハズレなし。桃子さんにはぜひ北欧クラフトビールの本を書いてほしいのであります。

9/25 図録で旅する

調べ物や執筆の時にヒントをくれるのが展覧会の図録です。2016年に東京・渋谷のBunkamuraで開催された〈マリメッコ〉展はファッションブランドとしての視点から紹介した展示で、マリメッコについて書いたり考えたりする時には繰り返しページをめくっています。2018年のフィンランド陶芸展の図録には、〈ティーマ〉などシンプルな器だけではない世界が広がっています。本展に行けなかった「北欧モダン デザイン&クラフト」展はせめて図録で後追いを。北極圏まで足を運んだタピオ・ヴィルカラ回顧展の日本語版図録が出版された時は、うれしかったですねえ。領域をまたいで非凡な才能を発揮したデザインの巨匠について、図録を通して理解を深めることができました。

9/26

りんごの使いみち

クラフトビールに次いで盛り上がりつつあるのがクラフトサイダー。りんごを発酵させたお酒で、フランス語のシードルと呼ぶ方がイメージしやすいかもしれません。北欧の庭にはりんごの木がよく植えられていて、収穫時期には使いみちに頭を悩ませる家庭もたくさん。雑誌などではりんごレシピが特集されますが、それでも毎年大量に廃棄されてしまうりんごに目をつけてサイダーにする醸造所が増えているのです。北欧のりんごは一般的に酸味が強く甘さ控えめ。だから食事にも合うキリッとした味わいのサイダーができるのです。日本でもクラフトサイダーは盛り上がりつつあるようで、デンマーク産と長野産のシードルを飲み比べ。

北欧のおうちをのぞく

9/27

私はインテリアを見るのが大好き。北欧でもチャンスがあれば家におじゃまさせてもらい、日本にいても雑誌や本でさまざまな国の住まいをのぞきます。繰り返し読むのは〈ジュウ・ドゥ・ポゥム〉のシリーズ。アトリエやキッチンにフォーカスした1冊もあり、部屋の模様替えやリノベーション前にはポゥム本でイメトレをするのがお約束。「コペンハーゲンはすっきりモダン系が多いな」「フィンランドは色のコントラストが鮮やか！」と読み比べするのも楽しいもの。北欧へ行くたびに買ってくるスウェーデンのビンテージ専門誌『RETRO』はビンテージに囲まれた暮らしがのぞける雑誌。好きを極めた人々の暮らしを見ては刺激をたっぷり受けています。

買ってよかったもの

9/28

家にいる時間が増えて、買ってよかったのが空気清浄機です。ちょうど家の一部を住みながらリノベーションしていたこともあり、工事で埃っぽかった空間がだいぶ改善されました。すっきりとしたデザインで、サイズも価格も手頃だったのがスウェーデン製の〈ブルーエア〉。その後、〈エレクトロラックス〉の製品もモニター使用できることになり、偶然にもスウェーデン製で2台揃いました。エレクトロラックス製はサイズがひと回り大きいのですが側面に使った生地の色合いが絶妙で持ち手に革を使っていたりと、インテリアの一部と化してしまうのはさすが。オフィスにも合いそうです。

9/29

ウィキギャップに参加

ウィキギャップとはインターネット上の男女格差を解消するべく、スウェーデン政府が立ち上げたキャンペーン。ウィキペディアの女性に関連する記事は全体の2割程度しかなく、そのギャップを埋めるため女性の記事を増やそうという試みです。2019年にはスウェーデン大使館で日本初のイベントが開催され、私も参加して記事を作りました。せっかくならばスウェーデン人にしようと選んだのは、テキスタイルデザインの発展に貢献したアストリッド・サンペ。出典の明記や、中立性を保つことなど記事作成のポイントを学びながら、ウィキペディアンの方々に指導してもらって無事、記事をアップできた時の達成感たるや！　翌年も参加し、女性の記事をまたひとつ増やすことができました。

9/30

アアルト的ロフト

わが家は築90年近い平屋で、構造的に2階を作るのは無理と言われていたのですが、屋根の形が複雑なので「場所によっては作れるよ」と大工さん。2畳ほどの小さなスペースですが、憧れのロフトを作ることができました。柵や階段は、もとの梁の色に合わせて和風に仕上げるアイデアもあったのですが、フィンランドの建築家アアルトの夏の家にあるロフトの写真を大工さんに見せて作ってもらいました。ごくシンプルな造作ですが、夏の家のエッセンスがわが家に入り込んだようで、とても気に入っています。そしてこのロフトは猫たちも大好き。気づくとササッと駆け上り、上から見下ろしています。

10/1

国際コーヒーの日

コーヒーとの付き合い方

北欧を旅して、コーヒーとの付き合いが変わりました。話題の店で飲むのもいいですが、忙しい時も意識的にコーヒータイムを取ったり、旅先でもくつろげるカフェを探したり、1日の始まりや終わりに立ち寄れる店があるといいなと思うようになりました。家ではないどこかで、コーヒーを飲みながら、店員さんと会話しながらひと息入れる。そういう場所があるといいな、と。もちろんコーヒーが好みの味だったら最高です。偶然入ったカフェで〈オニバスコーヒー〉や〈フグレン〉〈丸山珈琲〉〈猿田彦珈琲〉など好きなロースターのコーヒー豆を見つけたらうれしいですし、新しい味を見つけるのも楽しいもの。コーヒーに合う菓子パンがあればなおうれしい。コーヒーのおかげで、いい時間が増えました。

10/2

扉を開けて衣替え

扉を左から右へ。これで衣替えはだいたい終わりです。寝室の改築時に頭を使ったのがクローゼットづくりでした。すっきり風通しのよさそうなクローゼットに憧れながらも服好きなもので、扉の中身はいつもみっちり。でも〈イケア〉のワードローブシステムのおかげで、持っている服はだいたい把握できるようになりました。引き出しの段数や幅も選べるので、畳んで収納するニットやTシャツ用に何段必要か、ラックにかけるブラウスや短めの上着はどれくらいあって、ワンピースなど長物用のスペースはどれくらい必要か、と具体的にイメージ。試行錯誤の結果、右側は春夏+レジャー向きの服、左側には秋冬+よそいき服や仕事服。扉をスライドさせたら、衣替えの完了です。

10/3

特捜部Qの晩ごはん

北欧を代表するミステリシリーズ『特捜部Q』の映画にはまって、連日観ていたらデンマーク料理が食べたくなりました。主人公のカールとアサドがよく食事をしているのがコペンハーゲンの元魚市場内にあるレストラン。物価の高いコペンハーゲンで安く食事ができて、レストランというよりは定食屋といった店構え。刑事2人が言葉少なに食事をするのが似合う場所なのです。おそらく彼らも食べていたであろうデンマークの伝統料理といえば豚バラ肉をローストしたフレスケスタイ。クリスマス料理の定番でもあり、わが家でも作ります。皮付きの大きな豚バラが手に入れば、皮目に薄く切り込みを入れて、ローリエとクローブを挟んで、オーブンでじっくり焼くだけ。時間はかかりますがおいしいですよ！

10/4

シナモンロールの日

シナモンロールの思い出

10月4日はスウェーデンではシナモンロールの日。学校や職場でもシナモンロールが出ます。日本でも北欧式のシナモンロールを作るお店が増えていますが、思い出の味といえば神奈川・横浜にあった〈薫々堂〉のシナモンロール。現地の味を知る方と開発されただけあって、生地のどっしり感が絶妙でした。東京・谷中の〈ヴァーネル〉もノルウェー仕込みの味わいで、コーヒーとともに味わうのが最高でした。最近のお気に入りは東京・荻窪〈キエロティエ〉のシナモンロール。東京・千駄木駅近くの〈檸檬の実〉でも時折、店頭に並んでいます。ヴァーネルの味は東京・広尾の〈BRØD〉で受け継がれ、ビーガンシナモンロールに進化してますます北欧風に。手作り派の方は、私のサイト「北欧ＢＯＯＫ」でレシピと成形を紹介しているのでどうぞ!

10/5

古本のススメ

旅先ではよく書店をのぞきます。購入するのはたいてい料理本や絵本。北欧では本が高価なので古本屋や蚤の市でも本を探します。時に幸運な出会いもあり、マッチ箱の絵で有名なスウェーデンの人気イラストレーター、エイナル・ネールマンの絵本を安く見つけた時はうれしかったですね！ ピッピやムーミン、エルサ・ベスコフなどの定番絵本も古本で見つけました。日本でも北欧関連の絶版本や見逃した展覧会のカタログ、廃刊になった雑誌の北欧特集など古本を見つけては悦に入っています。自慢の1冊は〈ひるねこBOOKS〉で見つけた昭和24年刊行の『北欧の夢』。著者の市河かよ子さんは、スウェーデンとフィンランドの公使館に勤務していた外交官の妻。ご近所だったというシベリウスとの交流秘話も綴られていて、たまげました。

ニシンでＳＯＳ

ヘルシンキで毎年10月初旬に開催されるニシン市。朝市のたつ港に面した広場に、周辺の漁師が出店して自家製のニシン漬けや燻製を販売するのです。ニシンに合う自家製パンやジャムも並んで、食いしんぼうにはたまらないイベント。最近は日本でも酢漬けニシンが手に入りやすくなりましたが、わが家ではよくライ麦の黒パンにのせて、ゆで卵と一緒に食べています。黒パンが見つからなければ、茹でたじゃがいもでも。クセの少ないミルキーなチーズと一緒に食べてもおいしく、バターとチーズとニシンはスウェーデン伝統の組み合わせ。頭文字をとってＳＯＳとよばれます。

10/6

10/7

キッチンに必要なもの

食洗機で一気にこれだけ洗えました。北欧のキッチンでは必需品といわれる食洗機。日々、洗い物に費やす時間を考えれば無駄のない投資と考える人が多いようです。フィンランドの家庭でよく見るのは食器乾燥棚。一見、普通の収納棚ですが最下段が水切りになっている優れもの。専門家による共著『フィンランドを世界一に導いた100の社会改革』では、この棚の導入が女性の家事負担を軽減し、社会進出を助けたことが解説されています。わが家では改築した際に〈エレクトロラックス〉の大型食洗機を導入しました。60センチ幅のビルトイン型で、大家族でもないのに大きすぎ？と迷いましたが、食器って大きさも深さもマチマチですし、調理器具もまとめて洗えるので大きい方が断然便利！人を招くハードルも、また下がりました。

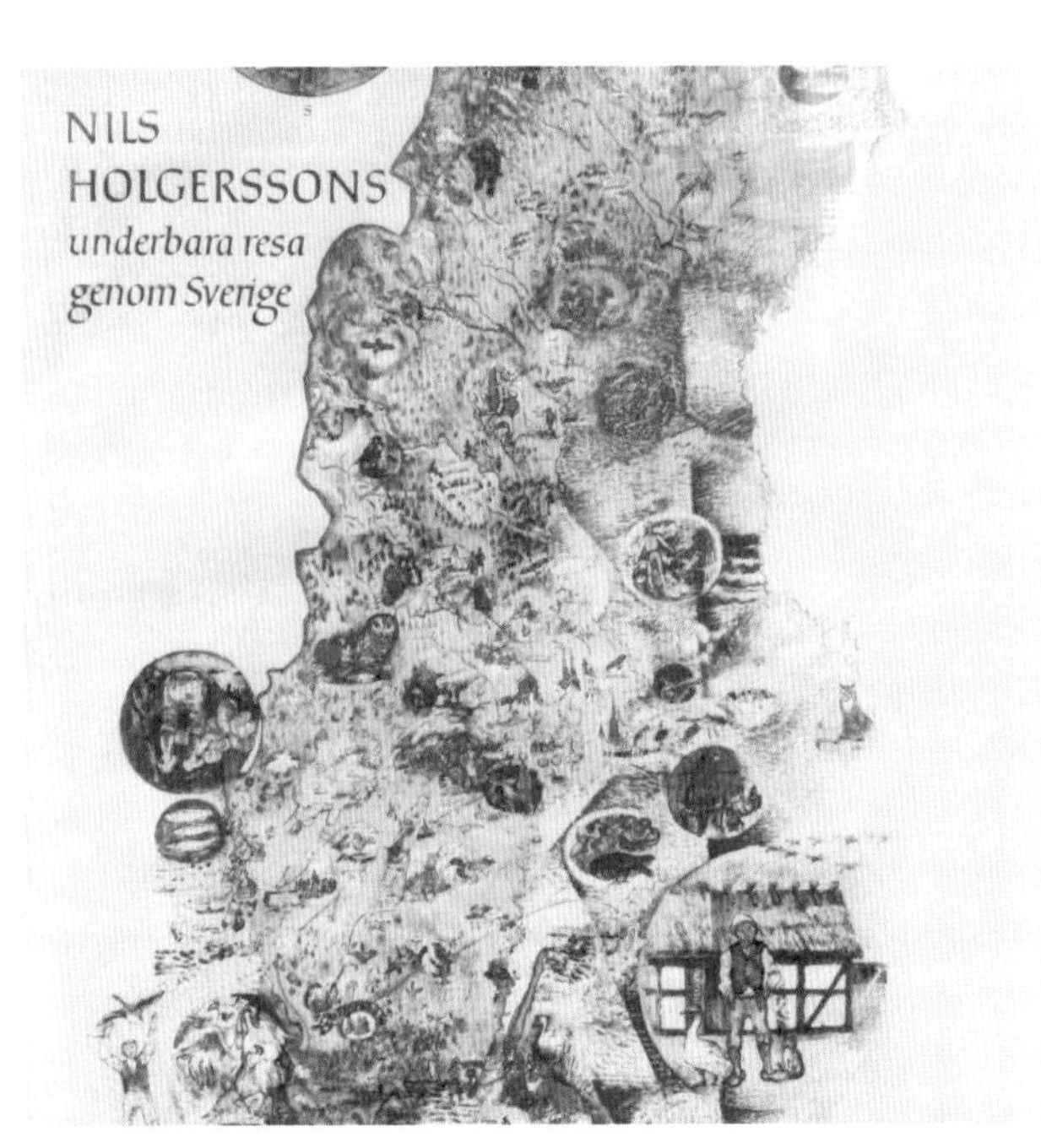

10/8

寒露

北欧から、雁来たる映画

鴻雁来の時期におすすめしたい、渡り鳥の映画『グランド・ジャーニー』。絶滅寸前の渡り鳥を保護し繁殖させるため、鳥に飛来ルートを教えることを思いついた実在の研究者クリスチャン・ムレクの物語です。超軽量飛行機で雁たちとともに空を飛ぶルートはノルウェーの北極圏からフランス。本作では、渡り鳥の視点で北極圏からの空の旅を体験できるのです。途中でノルウェーやデンマークの港町にも立ち寄り、そこに暮らす人との交流も見どころ。渡り鳥といえば『ニルスのふしぎな旅』も雁の群れとともに旅する物語ですが、彼らは南から北極圏を目指します。日本へ雁が渡ってくるのは秋。冬を越して春先に飛び立ちますが、寒い北国はその逆。北国の鴻雁来は、春先でしょうか。

10/9

世界郵便の日

もったいないボックス

旅先で見つけた可愛い地図、フライヤー、展覧会のチケット、乗車券などが捨てられません。もったいなくて使えないポストカードも増えていくばかり。そうした紙ものは、フィンランドの郵便局で見つけた郵便用ボックスにまとめています。ゆうパックの専用箱みたいなものですが、〈マリメッコ〉や〈イヴァナ・ヘルシンキ〉など人気ブランドの柄を見つけて思わず購入。もちろんもったいなくて郵便には使えないので、それなら旅の思い出をまとめてしまっておく箱にしようと思い付きました。時折、開けては中を掘り起こして旅を思い出し、ニヤニヤしています。

10/10

スポーツの日（10月第二月曜日）

青空の下で体力づくり

運動不足にはラジオ体操が効く、なんて思うのは歳をとった証拠でしょうか。子どもの頃はただの準備体操と思っていたのに、大人になってからやってみると結構ハードなんですよね。ラジオ体操の元になったといわれるのがデンマーク体操。ユーチューブで動画を見たら、本家はさらにハードそうでした。北欧で見て驚いたのは「青空ジム」と呼ばれる場所。木材でつくられたベンチプレスなどのトレーニング機械が設置してあって、誰でも無料で利用できるのです。しかしおもしろ半分でトライしてみたところ、重くて動かない。ショルダープレスは1回降ろすだけでヘトヘトに。北欧っ子たち、これをスイスイできるなんて強い子！と感服しました。

10/11

国際ガールズデー

ガールズデーに会いたい顔

国際ガールズデーにちなんだ「ガール・パワー」展へ。スペイン出身のイラストレーター、クリスティーナ・デ・レラさんによる展示で、アーティストや科学者、活動家など女性たちの功績を讃えたポートレートがずらり。女性初の大西洋単独横断飛行を成し遂げたアメリカの飛行士アメリア・イアハートから、ノーベル平和賞を受賞したマララ・ユスフザイまで多彩な分野の女性たちが並ぶなか、北欧からは作家のトーベ・ヤンソンと、スウェーデンの環境活動家グレタ・トゥーンベリさんが選ばれていました。隣にはフェミニズムのアイコン、ロージー・ザ・リベッターのイラストも。やわらかでカラフルなイラストで描かれた強い女性たちもいいですね。

10/12

たまごデー

たまごサンドの隠し味

日本が大好きな海外のクリエイターが「コンビニのたまごサンドが最高！」と綴っていました。確かに、卵とパンの組み合わせは世界中にあれど、ふわふわの食パンに刻んだゆで卵を挟むスタイルは日本独特かもしれません。わが家でもよく朝ごはんにたまごサンドを作るのですが、隠し味は北欧のマスタード。ホットドッグやサーモンにも添えられる辛さ控えめで甘めのマスタードが卵にも合うのです。〈イケア〉でも売っていますし、ディジョンマスタードにはちみつを加えて即席で作ってもよし。たまごサンドやオムレツ、ゆで卵にもぜひお試しあれ。

一日4食の人々

10/13

スペインやフランスを旅した時、夕食の時間が遅く、しかもゆっくりいただくので食べ終わるのは夜更けということがたびたびありました。北欧では早めに夕食をとる家庭が多く、スウェーデンの友人宅では夕方5時。それで夕食後にジムに行ったり、子どもと公園に出かけたりするのです。わが家でもたまに「北欧式ね」と早めの夕食をとり、食後の時間を有意義に過ごす……つもりが、仕事をしてしまったりするのですけれど。それにしてもそんなに早く食べたら寝る前にお腹が空かないのか不思議だったのですが、ノルウェーの友人は毎夜9時頃に目玉焼きをいそいそと作っていました。一日4食、それであんなに身長が伸びるのでしょうか。

10/14

デンマークの道化王子

子どもの頃にテレビで見たピアノを弾く愉快なおじいちゃん。それがヴィクター・ボーグの記憶です。冗談ばかり言っているかと思えば、いざピアノを弾くと超絶技巧派。弾いているうちにまた脱線して観客は大爆笑。音楽のわからない子どもでもゲラゲラ一緒になって笑っていました。ある時、コペンハーゲンにボーグの名を冠した広場があると気づいてびっくり、デンマークの人だったとは。ブロードウェイでのロングラン記録を持ち、60年代にもっとも稼いだエンターテイナーといわれたボーグ。ユダヤ系のため第二次大戦中にアメリカへ亡命し、その恩を返すべく若い才能を応援する基金を作ったこと、北欧各国から爵位を授かっていること、道化王子と呼ばれていたことを知りました。

10/15

陶のきのこ狩り

秋には森できのこ狩り、家にはそのためのきのこ図鑑、食卓にはきのこの味覚。北欧はきのこの国なので、きのこ柄のテキスタイルや器、雑貨がいっぱい。わが家にも北欧からやってきた可愛いきのこがたくさんありますが、まさるとも劣らぬ可愛さで存在感を放つのは鈴木喬子さんが作るきのこ。展示会で見た大きな陶のきのこたちは、表面がブツブツしていたり、笠の裏側がうねうねしていたりと菌類らしさ爆発で、フィンランドのじめっとした森で見たきのこを思わせました。まずは箸置き用に小さなきのこを2つ。いつか壁に飾る大きなきのこをしとめたいと思っています。

10/16

黒パンを探せ

日本に暮らす北欧の人々が恋しくなる母国の味といえば、ライ麦を使ったパン。北欧はどの国でもライ麦たっぷりの噛みごたえある黒いパンが好まれています。食文化研究家の佐々木敬子さん主催で、エストニアから取り寄せたパンを食べ比べする本気の黒パン会があったのですが、甘くしっとりとしたタイプから、シード類たっぷりの食事系まで味わいさまざま。そのエストニアの黒パンが〈業務スーパー〉で買えることも教えてもらいました。私が好きなのは、フィンランドやエストニアで食べた甘みのあるタイプ。佐々木さんの本『旅するエストニア料理レシピ』では、その味に近い黒パンの作り方や、パンに合うジャムやたまごバターのレシピも紹介してあります。時々マーケットやお店にも卸しているようなので他力本願派はそちらをどうぞ。

10/17

ものづくりの声を聴く

ものづくりの作り手と伝え手をつなぐ場所として、年に2回開催されている「ててて商談会」。地元の伝統産業にいまの視点や必要性を反映させて受け継ぐ作り手も多く、日本のものづくりのいまを知ることができます。会場を歩いてふと「北欧っぽいな」と目に留まった図案が、じつは日本の伝統的な意匠だった、ということもしばしば。組木細工の模様がテキスタイルの織り模様と似ていたり、〈マリメッコ〉みたいと思った花柄が、じつはこけしの伝統的な模様を元にしたものだったり、北欧と日本の接点が改めて見えてくるよう。北欧と縁ある作り手がいることもあります。2022年からは一般参加枠もでき、より広いつながりが生まれそうです。

お好み焼きでスコール

東京・府中には、本格的なスウェーデン料理も食べられるお好み焼き屋さんがあります。赤坂見附にあったスウェーデン料理専門店〈ストックホルム〉で15年腕をふるったシェフが、ご両親が営む『お好み焼き さかえや』に移って、スウェーデンの味も提供しているのです。ニシンやノルウェーのマリネからヤンソンの誘惑など王道メニューにくわえて、シェフ時代と同じレシピのスウェディッシュミートボールは和風に醤油味でいただくこともできます。50年にわたり本場の味を提供したストックホルムは2022年に閉業となりましたが、あの味が場所を変えて受け継がれているのがとてもうれしい。スウェーデン料理といえばお約束の、キンキンに冷やした蒸留酒アクアビットもあるので、ぜひスコール（スウェーデン語で乾杯の意）を！

思い出のりんご

りんごを使ったわが家の北欧レシピといえばエーブレフレスク。エーブレがりんご、フレスクは豚肉のこと。適当な大きさ（くし切りでも、いちょう切りでもOK）に切ったりんごとベーコンを炒めたもので、料理というほどでもない本当に簡単な一品ですが、ライ麦パンにのせて食べるとおいしいのです。ベーコンから脂が出るので炒め油も必要なし。旬を過ぎたりんごでも大丈夫。りんごが崩れるまで炒めてもいいし、食感を残してもよし。友人宅では大きめのベーコンをトッピングしてあり、私は小さめに切って混ぜ込んで炒めるのが好きです。思えばこれは長年の友人の家を初めて訪れた時に出してくれた思い出の味。この気取らないもてなしこそが、ずっとよい関係が続いている理由かもしれません。

10/20

森のこびとがやってきた

大好きなスウェーデンの絵本作家エルサ・ベスコフ。コロナ禍で外出できない時期に偶然、インスタグラムで見つけたのがベスコフの世界をフェルトで作るオランダの作家さん。ベスコフが描くキャラクターの中でも、とくに好きな森のこびとの作品をわが家に迎えることができました。うれしくてインスタグラムに写真をあげたところスウェーデンのベスコフファンからコメントが。ベスコフを通じて交流ができたのも素敵な体験でした。赤い帽子をかぶって、きのこのふりをするこびとたち。赤に白い斑点といえば、北欧の森でおなじみのベニテングダケでしょうね。彼らの暮らしがのぞける絵本『もりのこびとたち』もおすすめの1冊です。

10/21

あかりの日

明かりの国の照明

北欧は明かりの国。とくにデンマークを旅していると、家庭でも職場でも町中でも、明かりの使い方が見事で目を奪われてしまいます。デンマークが誇る、近代照明の父といえばポール・ヘニングセン。層になったシェードがやわらかな光を生み出すPH照明シリーズは時代を超え、国を超えて愛される、明かりの定番となりました。デンマーク語でPHはピーホーと発音し、デンマークの人々は敬愛をこめてヘニングセンのことをピーホーと呼んでいます。わが家の中心となる明かりもピーホー作。乳白色のガラスシェードを通した美しい光は、20年以上一緒に暮らしても時折、見惚れてしまうのです。

10/22

グルメなビアフェス

コペンハーゲンで開催される「ミッケラー・ビアセレブレーション」は世界のビールファンが待ちわびるクラフトビールのフェスティバル。それまでのビアフェスといえばとにかく飲みまくる、質より量のイベントだったのが、クラフトビール界のカリスマ的存在で〈ミッケラー〉創業者のミッケルさんが選びぬいた世界の醸造所が集い、フードも揃えたグルメイベントとしてファンを唸らせたのです。２０１８年からは美食の町としてミッケルさんが惚れ込む東京でもスタート。２０２２年には3年ぶりに開催し、北欧からも注目の醸造所が参加しました。会場となったデンマーク大使館には現地でおなじみのホットドッグスタンドも登場。「今こそみんなで力を合わせなきゃ!」と乾杯しあいました。

10/23

絵暦と神無月

花が描かれた青い飾りは、クリップになっています。スウェーデン語で「忘れないで！」と書いてあり、やることリストを挟んでおくものだとか。古い柱に似合うので飾っておいたところ、会津でもらった細長い絵暦がぴったり。北欧レトロと和レトロが出会いました。出雲に神さまが集うため、出雲以外の土地では「神無月」になる10月。旧暦でいうと現在の10月末～11月にあたります。日差しがぐっと冬に近づいて暦の上では霜降る季節。そろそろ今年中にやらなきゃリストを意識する頃です。

10/24

アイスランドの
女性の休日

女性たちのストライキ

国際女性デーとは別に、アイスランドには女性の日があります。１９７５年10月24日、女性たちは一斉に仕事を休んでデモをしました。家事も育児も一切の手を止めて、女性がいなければどれだけ社会に打撃を与えるか身をもって示したのです。このデモにはなんと国民の9割もの女性が参加。そして5年後には世界初の女性大統領が生まれました。男女平等を測るジェンダーギャップ指数で13年連続で世界1位に選ばれているアイスランドですが、いまもデモは続いています。２０１６年には女性の所得が男性よりも少ないとして、女性の多くが仕事を切り上げてデモに参加。これを受けて翌年には、業務内容が同じ男女には同額の賃金を支払うよう義務づける世界で初めての法律が定められました。声をあげれば変わる。男女平等は叶えるもの。前を進む国があることを知るのは強い励みになります。

10/25

世界パスタデー

パスタのルール

パスタの日に寄せて、わが家の北欧経由のパスタルールをご紹介します。鍋ごと食卓に出します。パスタとソースを別々に出すこともあります。食卓にて各自で取り分けます。魚介ソースの場合はありったけのディルをかけます。調理した鍋のまま出すというのは北欧あるあるスタイルで、洗い物も少なくなり効率的。女性の社会進出が進んだ時代には食卓にそのまま出せる可愛らしいデザインの鍋がたくさん生まれています。でも北欧の琺瑯鍋は炒めものや強火で煮るのは向いていないものも多いので、わが家では〈北陸アルミニウム〉の無水調理鍋です。

10/26

南会津のダーラナ

スウェーデンのダーラナ地方は、スウェーデンの人にとって心の故郷のような場所。おみやげでもおなじみの木彫り馬、ダーラナホースが生まれた場所であり、伝統的な家の壁に塗るファールンレッドと呼ばれる塗材はダーラナの銅山が産地です。さて小さなダーラナが福島県の南会津にもあるのをご存じでしょうか。東北の伝統的な曲屋にカール・ラーションの絵で見るような古きよき時代の家具や装飾を合わせたゲストハウスで、スウェーデンで料理修行をしたオーナーシェフが営んでいます。冬は豪雪に見舞われ、夏は近隣でとれる野菜（トマトが美味！）をいただく自然に囲まれた環境もスウェーデンと通じる日本の小さなダーラナ。茅葺屋根の下にはスウェーデン国旗があり、大きなダーラナホースが歓迎してくれます。

10/27

マリメッコと会津木綿

会津若松で訪れた〈はらっぱ〉は、いまでは2社しか残っていない会津木綿の織元です。一時は廃業の可能性もあったそうですが、会津木綿の魅力に惚れ込んだデザイナー、山崎ナナさんとの二人三脚でスタイリッシュに復活。山崎さんの著書『YAMMAの服にできるコト』には平坦ではなかった道のりが綴られ、あの〈マリメッコ〉も一時は経営危機に陥っていたことを思い出しました。そこから再生するまでを記した本『マリメッコの救世主 キルスティ・パーッカネンの物語』も読み応えのある1冊でした。織り機が稼働する工場を訪れた際に、先代から伝わる生地の配色見本も見せてもらって「当時からこんなモダンな配色があったのか」と感動しきり。会津木綿のこの先も楽しみです。

10/28

おしゃれは巻物で

モダンでシンプルなインテリアを好むデンマークの人々。ファッションもミニマル派が多く全身をモノトーンでまとめる人は多いのですが、首元だけはカラフルなストールを巻くのがデンマーク流です。私が愛用しているのは、日本にも進出しているデンマークの人気ブランド、〈ベックソンダーガード〉のストール。星柄、ヒョウ柄、チェックなど定番のパターンも個性的で、ウールとシルク混紡の薄手ストールは旅先でも重宝します。色合わせがきれいで手にしたストライプのストールも、タグを見たらコペンハーゲンのブランド。もともとストール好きなのですが、デンマークのストールが徐々に増えています。

四季のカーテン

10/29

秋が深まるとリビングのカーテンを冬仕様に。絵画のようなテキスタイルはスウェーデンのスティグ・リンドベリによるデザイン。布の上下を縫って、カーテンポールに通しただけの簡単な仕立てですが、部屋のアクセントにもなり気に入っています。1枚で窓を覆うにはサイズが足りなかったので、左側には会津木綿を合わせました。この方式で、他にも眠っていた布をカーテンに。いまでは春夏秋冬それぞれのカーテンができました。

10/30

おなじみのロゴ

秋はデザインウィークやインテリアの展示会が続く時期。銀座のギャラリーで開催していたのは、デンマークのデザイン会社〈コントラプンクト〉の展示です。列車や地下鉄のサインから、郵便局や薬局、〈カールスバーグ〉や〈ノーマ〉など企業ロゴまでを手がける会社で、コペンハーゲンの町を歩けば彼らのデザインを目にしないことはありません。デンマークはデザインの国といわれますが家具や照明だけでなくこうしたデザインもスタイリッシュ。いまは東京にもオフィスができ、日産や資生堂など日本企業のブランドデザインも制作しています。自分のブランドロゴを作れるコーナーがあったので入力してみました。どうでしょう、デンマークっぽい?

10/31

ハロウィン

ハロウィンの装い

北欧にもすっかり浸透したハロウィン。仮装した子どもたちは家をまわってキャンディをもらい、夏季とクリスマス時期にだけオープンしていたコペンハーゲンのチボリ公園もハロウィンに開園するようになりました。どんどん日が短くなり暗い冬の到来を感じるこの時期に、にぎやかなハロウィンの催しが歓迎されるのは無理のないことかもしれません。私もじつは仮装好きで以前は友人たちと一緒に本気で装っていました。最近は飾りも仮装も面倒くさくなっていたのですが、オレンジの花と実が華やかなリースとスワッグを見つけて少しだけハロウィン気分に。いつかやってみたいのはゾンビメイクです。せっかくならば北欧のキャラということで、ゾンビ風ピッピになってみたいです。

11/1

紅茶の日

ティーバッグ or ポット？

コーヒーに目覚めるまでは紅茶党でした。日本でも買える北欧の紅茶で有名なのはノーベル賞授賞式の晩餐会でも出されるセーデルブレンド。私のおすすめは〈コブス〉の紅茶で、バラの花びらにいちごやルバーブの香りをまぜたサマーハウスティーがとくにお気に入り。北欧を旅する時は各国のスーパーマーケットでティーバッグを買ってきます。フィンランドの〈ノードクヴィスト〉のムーミン柄ティーバッグはおみやげの定番で、これもいまは日本でも買えるよう。仕事中はもっぱらティーバッグで済ませることが多いですが、時間のある時はやっぱりポットで出すとおいしいですよね。

11/2

家庭文化の日

カウリスマキのキッチン

この家に住んでから長く使っている黄色の扉の食器棚。もともと設置してあった棚が入居してすぐに壊れてしまったためにオーダーで作ったものです。北欧の食器棚を少しだけ真似て下段を斜めにカットし、黄色と水色で仕上げました。スウェーデンカラーだったと気づいたのは後のことです。フィンランドのアキ・カウリスマキ監督の代表作『浮き雲』にはレモンイエローのキッチンシェルフが登場します。本作では青と黄の配色が繰り返し出てきて、その色合いが本当に美しい。カウリスマキといえばシニカルな作風で知られますが、勤勉に働き、料理して食べる人々への視線は温か。料理好きやキッチン好きにもぜひ見てほしい作品です。

11/3 文化の日、手編みの日

モダンなかぎ針編み

北欧関連の本や雑貨も揃える東京・谷中の〈ひるねこBOOKS〉。時々のぞいてはこれだ！という1冊に巡り合っています。フィンランドの編み物作家、モラ・ミルズの本もそのひとつ。輸入本なので値段もそこそこしたのですが、色とパターンに心惹かれて即決購入。かぎ針編みなんて長いことやっていないし、フィンランド語なので読めないのですが。それでも、まずは太い糸で単純に編めばできあがるバスケットに挑戦。だいたいこんな感じの色で、このくらいの大きさで、と適当な作りっぷりですが、これが楽しい。小さめなら1日、大きめでも3日ほどで作れるので達成感もあるんですよね。おしゃれなモラの服装や、ちらっと登場するアトリエの様子も素敵で、インテリアの参考にもしています。

11/4

ユネスコ憲章記念日

悲しい気持ちの時に

低気圧で気分が沈む時。言い過ぎたと落ち込む時。もう会えない人を思い出して涙が出てくる時。本を読んでも映画を見ても頭に入らない。体を動かせばいいと思っても腰が上がらない。そういう時、歌うと少し気が晴れます。エストニアの南東部にあるセト地方を訪れた時のこと。ユネスコの無形文化遺産として登録される民謡セトレーロを聴く機会がありました。夏の訪れを祝う歌、暮らしや土地の歌、そして悲しみの歌。合唱で時に踊りながら歌いあげる様子は、ブルースやゴスペルのようにも思えました。ロシアとの境にあるセトは時代により国境線が変わり、生活が翻弄されてきた地域。歌がどれほど人々を支えてきたのかを、垣間見たような体験でした。私がよく口ずさむのは、小さな幸せをよろこぶ「私の青空」。

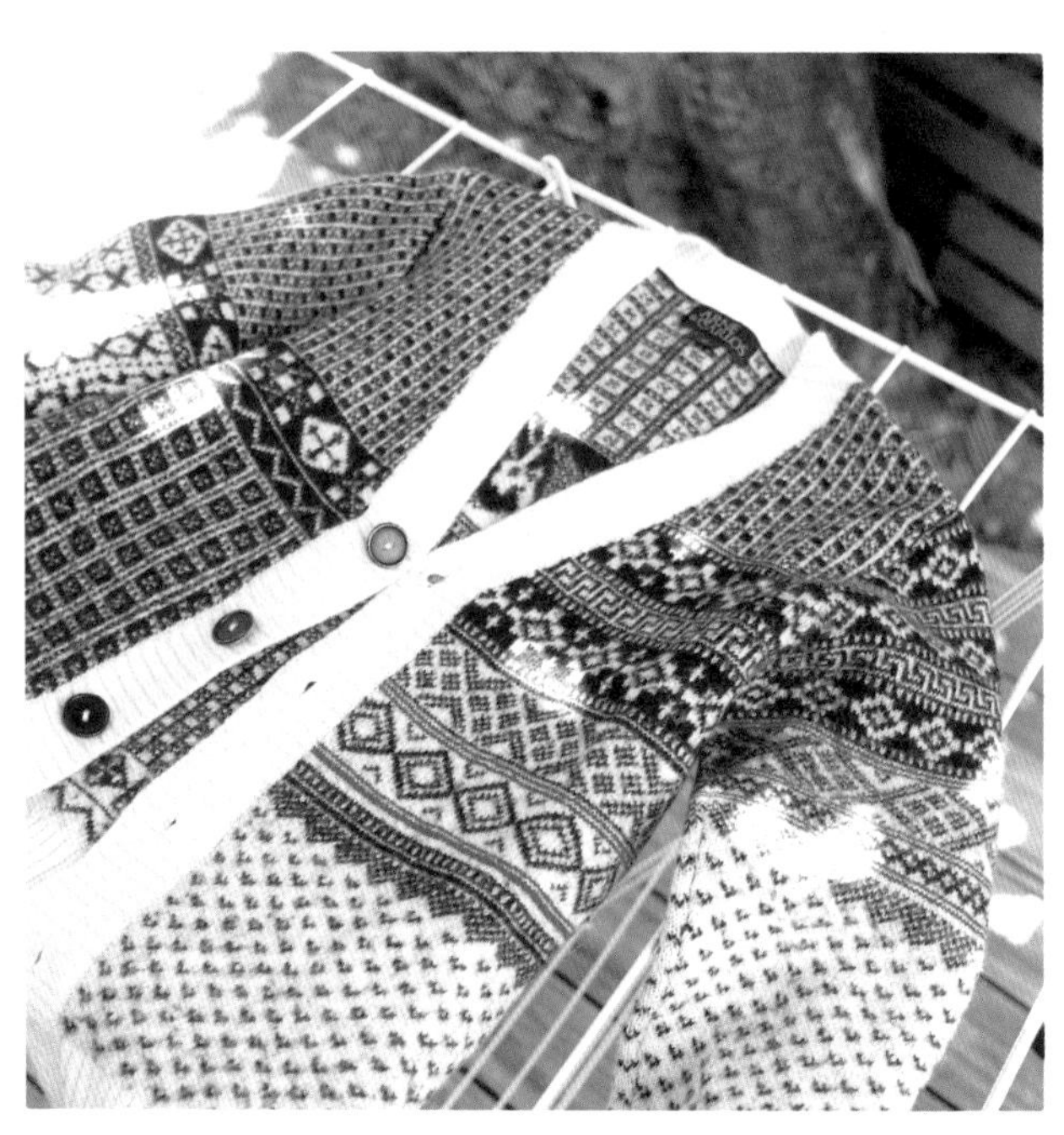

11/5

ダサくないセーター

最近、話題のダサセーター。雪だるまやトナカイ柄など派手でダサくて恥ずかしいセーターをあえて着て楽しむのが流行っているのです。ノルウェーのニットデュオ、〈アルネ&カルロス〉の手にかかれば、ダサセーターも一周まわってモードに変身してしまうでしょう。赤と紺と白の国旗色で編まれたノルウェー伝統のマリウス柄にインベーダーゲームの図案を取り入れたニットは、〈コム・デ・ギャルソン〉とのコラボレーションで展開。またノルウェーの国立美術館からの依頼で王室の編みぐるみを作るなど、編み物の常識を覆すような活動には目を見張ります。おばあちゃんの編みかけのニットや、捨てられないセーターをつなぎ合わせて作ったカーディガンもかつて製品化されたもの。先日偶然にも日本の古着屋さんで見つけてしまいました。

11/6

スウェーデン系フィンランド人文化の日

フィンランドのスウェーデン

フィンランドでは、フィンランド語とともにスウェーデン語が公用語とされています。駅名や標識は両語併記で、たとえばヘルシンキにあるハカニエミの駅名を見ると、右側にスウェーデン語読みがあり、禁煙案内なども両方の言語で表記されています。フィンランドにはスウェーデン語を母語とするフィンランド人が人口の5.5％ほどいて、作曲家のシベリウスや詩人のルーネベリ、ムーミンの作者トーベ・ヤンソン、リナックスを発明したプログラマーのリーナス・トーバルズもそのひとり。ムーミンの原作はもともとスウェーデン語で書かれているんです。日本のフィンランドセンターでは毎年スウェーデン語系フィンランド人の作家やクリエイターを招いて、彼らの背景や文化にまつわるレクチャーやイベントを開催しています。

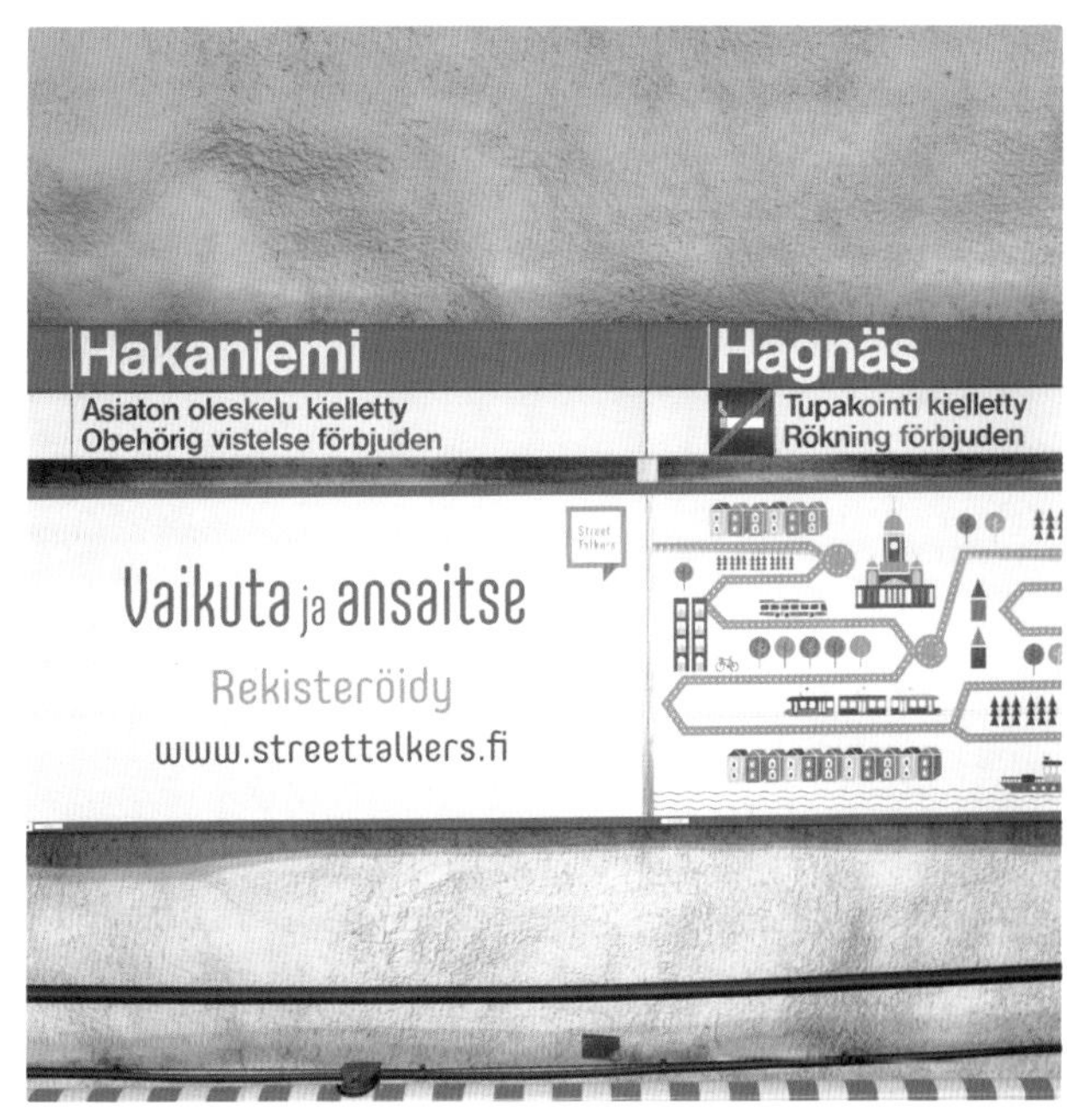

11/7

立冬

ヒュッゲ、じゃない

デンマーク語で心地よい時間や空間を表す「ヒュッゲ」という言葉は、北欧諸国がしあわせの国として注目を集めるとともに日本でも広く知られるようになりました。このヒュッゲと反対の言葉で「uhygge（ウヒュッゲ）」という言葉もあるのをご存じでしょうか。何か不穏なもの、恐怖や不安を表す言葉で、デンマークの人々はこの不安な感覚も人生に欠かせないものだと思っているそう。ヒュッゲじゃない存在があるからこそ、ヒュッゲのよさがわかるというのです。寒く暗い冬が本格的に到来する時期は、ヒュッゲのよさがひと際輝く時期ともいえるのでしょう。

11/8

ふいご祭り

焚き火の名脇役

11月8日はふいご祭り。鍛冶屋や刀工、鋳物師などの職人が手を休めて、ふいごの労をねぎらい清める日です。スウェーデンの蚤の市では可愛らしいイラストが描かれたふいごを発見。イラストにあるように暖炉で使ったり、焚き火の火おこしに使うのでしょう。焚き火といえばノルウェーの国営テレビが、ただひたすら薪が燃えるところを映したスローテレビが日本でも話題となりました。ノルウェー人は焚き火が大好きなんですよね。薪愛好家や研究家へのインタビューが綴られた『薪を焚く』は世界15カ国で翻訳され、50万部を超えるベストセラーに。焚き火の世界は奥深い！

＊ふいごは、火力を強めるために使う送風装置、または道具のこと。

11/9

マーガレットとデイジー

デンマークの国花はマーガレット。デンマーク語ではマルグレーテと発音します。そう、現女王の名前と同じ。国民に愛される女王はデイジーのニックネームでも知られます。このニックネーム、もともとは女王の祖母にあたるスウェーデンのマルガレータ王太子妃のものでした。イギリスからスウェーデンのグスタフ６世のもとへ嫁いだ際に、マーガレットの花がイギリスではデイジーと呼ばれることからその愛称がついたそう。そして孫娘でありデンマーク女王のマルグレーテ２世にもデイジーが受け継がれました。デンマークの友人宅の窓辺には鉢植えのマーガレットが置いてあり、赤土のフラワーポットはデンマークの〈ツォイテン窯〉のもの。左側に置かれた鉢の花柄もおそらくマーガレットでしょうか。

11/10

スパイスの女王

北欧レシピ用のスパイスで、もっとも活用しているのはカルダモン。シナモンロールを作るのに欠かせないスパイスで、北欧でパン屋さんの扉を開けるとカルダモンの香りがふわっと漂ってきて「ああ、北欧だ」と実感します。スパイスの女王とも呼ばれるカルダモンは、インドや中東の国に次いで北欧での消費量が抜きん出ているそうです。日本ではパウダータイプが一般的ですが、パン生地に入れるなら粗挽きがおすすめ。わが家ではホールタイプを買ってスパイスミルで自分で粗挽きにして使っています。ちょっと面倒くさいですがこのひと手間で、自家製シナモンロールが本場っぽくなるのです。濃厚なブラウニーや爽やかなレモンのパウンドケーキにも合いますし、バニラアイスに入れるのもおすすめ。

11/11

聖マーティンの日

がちょうとモルテンの関係

11月11日はキリスト教の聖マーティンの日。スウェーデンではモルテンの日と呼ばれ、前日にはがちょうを食べる習わしがあります。がちょうとモルテンといえば『ニルスのふしぎな旅』でニルスがその背に乗ってともに旅をした、がちょうのモルテンの名前はまさにこの聖人に由来しているそう。著者のセルマ・ラーゲルレーヴはスウェーデン人として、また女性として初めてノーベル文学賞を受賞した人物です。もともとは子どもが楽しくスウェーデンの地理を学べる教材として作られたお話で、日本ではアニメで親しんでいた方も多いはず。モルテンとともに空を飛ぶニルスの姿は、ラーゲルレーヴの自画像とともにスウェーデンの紙幣にも描かれていました。舞台となったスコーネ地方の町、マルメの公園ではニルスとモルテンの銅像にも会いました。

11/12

曇り空にはロンケロを

12月はクリスマスがあり、1月は雪が降る。でも11月は何もない。ただ灰色の空が続くから憂鬱だと話したのはフィンランドの友人。そういえば私も11月だけは北欧を旅したことがありません。でも11月のフィンランドには「そんな憂鬱はロンケロを飲んで吹き飛ばそう！」と呼びかけるキャンペーンがあります。ロンケロとはジンを使った缶入りのカクテルドリンク。1952年のヘルシンキオリンピックに向けて開発された飲料で、缶に描かれたストライプは競技トラックをイメージしたもの。フィンランドの人はロンケロが大好きで、バーでもサウナでもおなじみの味。日本にも進出していて成城石井やローソンで売っています。日本でも日が短くなる11月、ロンケロで気分転換もいいですね。

父の日の理由

デンマーク以外の北欧4国では父の日は6月ではなく、11月の第二日曜日となっています。その理由は「11月には祝日もイベントもないから」。気候的にもだんだん暗く寒くなり、まだクリスマスまで遠い時期に何か盛り上がるイベントを！と発案されたそう。しかし思えば母の日の記念プレートは北欧の陶器メーカーもこぞって出していたというのに、父の日記念で気の利いたアイテムが思い浮かびません。でも北欧のお父さん、がんばっています。休日はもちろん平日でもベビーカーを押すお父さんの姿は北欧ではもはや当たり前。2017年に日本のスウェーデン大使館が企画した写真展「スウェーデンのパパたち」は育児休暇を取り、子どもたちと過ごす父親たちの姿を伝える展示。大好評を博し、5年以上にわたって全国を巡回しています。

11/14

アストリッド・リンドグレーンの誕生日

ピッピとピッピ

子どもの頃は桜井誠さんが描くピッピに優しげな印象を抱いていましたが、イングリッド・ニイマンの描くピッピにスウェーデンで出会ってイメージが一転。悪ガキ感たっぷりのニイマン版はリンドグレーンもお気に入りだったようです。姉が持っていた英語版のピッピもまた雰囲気が違います（さるのニルソンさんが怖い）。ロッタちゃんやローニャを描いた素朴なイロン・ヴィークランドの絵も、ホラー作品で知られるハンス・アーノルドの幻想的なイラストも好きです。驚いたのは昔のカッレ君シリーズ。この絵、どこかで見たと思っていたら、ティーン小説や女の子のための本を書き、後年に自伝的小説で女性の性の解放を描いたチェスティーン・トゥールヴァール・ファルクによるイラストなのでした。この人も多才！

11/15

秋の柿チャレンジ

北欧の家庭がりんごの使いみちに頭を悩ませるように、柿が届くと、さてどうやって食べつくそうかと悩みます。何しろ柿はあっという間に柔らかくなってしまうから焦ります。以前はパウンドケーキに入れてみたり、ジャムにしたりと無理にレシピの幅を広げようとして失敗していましたが、最近はひたすらサラダでいただくことに。ピンクペッパーと合わせるのが目下のお気に入りで1日目はロメインレタス、2日目はクレソン、3日目は白菜と葉物を変えて楽しみます。器も「柿に合うやつ」を。この変形三角の器はスウェーデンの〈ロールストランド〉のビンテージで、果物もおかずも合う万能皿。さて次はキャロットラペに入れてみる？なますにする？と頭をひねる秋の日です。

11/16

いい色の日

日本の色、北欧の色

デザイナーさんと打ち合わせ中、色見本を見ていた時のこと。日本やフランスの伝統色見本はあるのに、北欧はないのが意外でした。改めて見ると和の色名っておもしろい。桜色、茄子紺などは想像しやすいですが、深川鼠や利休茶となると由来を調べたくなります。そういえばスウェーデンで見たペンキの色にも名前がありました。ファールンレッドはファールン銅山で採れるえんじがかった赤色。コペンハーゲングリーンや、ペール・ハンスと名前の付いた青色もありました。イギリスやフランスにはスウェーデンのグスタヴィアン様式にちなんだ青やグレーの色名があり、スウェーデンのカラーシステムにはストックホルムホワイトなる色が。21世紀初めにストックホルムで流行した暖かみのある白を指すのだそう。

11/17

ラスムス・クルンプの誕生日

ラスムスとぺち

デンマークの国民的キャラクターといえば、ラスムス・クルンプ。人気イラストレーターのヴィルヘルム・ハンセンと妻のカーラが新聞漫画のために生み出した、水玉のズボンをはいたこぐまです。1951年の初登場からあっという間に人気者となり1年後には62の新聞に、4年後には21カ国の新聞に掲載されました。日本では1972年にコミックブックが刊行され、最初はフランスやドイツに倣って「ぺち」の名前で紹介されていたのです。私も子どもの頃に愛読していたのですが、大人になって改めて読み返してびっくり。文が水木しげるとなっている。不思議に思っていたら、英語堪能な水木氏の父上がベース翻訳をしていたとの裏話が判明。水木サンもぺちをたくさん所蔵されていたそうです。

11/18

ラトビア独立記念日

ラトビアの赤と黒

バルト三国の真ん中に位置するラトビア。中世から栄えた首都リガは「バルト海の真珠」と称され、現在は世界遺産にも指定されています。エストニアやリトアニア国旗が3色であるのに対してラトビアの国旗は2色。あずき色のような、海老茶色のような深い赤はラトビアンレッドと呼ばれています。日本のラトビア大使館におじゃました際に目を引いたのは、トマトで表現したラトビア国旗。これなら真似できます。パーティテーブルでもうひとつ注目を集めていたのは、リガの名を冠したお酒でした。18世紀から作られているブラックバルサムと呼ばれる薬草酒で、甘くて苦くて黒い、強烈な味わいでした。

11/19

布から始めるクリスマス

どんどん増えるクリスマスのテキスタイル。わが家ではまず布づかいでクリスマス気分をスタートさせます。細長いテーブルセンターをローテーブルに飾ってみたり、クリスマス柄のクロスを壁にかけてみたり。りんごにハート、ブタ、藁のヤギ、お菓子にルシア祭の女の子。北欧ならではのクリスマスモチーフが描かれたテキスタイルは見ているだけで楽しい。こんなに持ってどうするの？というくらい溜まってきているのですが手放せない。今年はどれから使おう、もっと他に使い方はないかな？と頭をひねっています。

11/20

世界こどもの日

なんかへん? の時代

子どもって自由気ままのように思えて、じつは保守的。みんなと同じがいい、同じじゃないのは恥ずかしい。ノルウェーの絵本『うちってやっぱりなんかへん?』を読んで、そんな気持ちが甦ってきました。主人公のクローゼットには〈マリメッコ〉のようなドレス、食卓にはアルネ・ヤコブセンの椅子。みんなが憧れるデザインも、当人にとっては「なんかへん」。わが家も少し似たところがあって「もっと普通の服がよかったのに」とモヤモヤしたこと、「素敵じゃないの!」と言われてもイヤだったことを思い出しました。でも一方でフランシスやマドレーヌの絵本が大好きで、物語のなかではわが道をいく主人公に惹かれていました。まりーちゃんの物語に出てくるマイペースなまでろんも大好きでしたね。

11/21

ビョークの誕生日

ビョークになる前の歌声

アイスランドが誇る歌姫ビョーク。12歳でデビューし、グラミー賞ノミネートがこれまでに15回、ローリングストーン誌の世界でもっとも偉大なシンガーにも選ばれ、主演したミュージカル映画『ダンサー・イン・ザ・ダーク』ではカンヌ国際映画祭の最優秀女優賞を獲得。説明不要、正真正銘のスターです。どの時代の歌声も格好いいのですが、私が好きなのはソロデビュー前に地元レイキャビクのホテルで録音したジャズアルバム。この時の名義はまだビョーク・グズムンズドッティル。アイスフンドの人名には苗字がなく、グズムンズドッティルとはグズムンドの娘という意味なのです。ピアノトリオをバックに踊りたくなるような小気味よいリズムで歌うビョークのジャズ、最高です。

11/22

マッツ・ミケルセンの誕生日

おすすめの至宝

北欧の至宝と称されるデンマークの人気俳優、マッツ・ミケルセン。いまや押しも押されもせぬ世界的スターですが、母国デンマークの作品にも出演し続けています。アカデミー賞を受賞したトマス・ヴィンターベア監督との『偽りなき者』や『アナザーラウンド』は日本でも大ヒット。おすすめマッツは、キャリア初期から組んでいる盟友アナス・トマス・イェンセン監督作品です。何をさせてもクールでかっこいいはずのマッツが話の通じない神父、歯止めのきかない軍人、サイコパスな食肉店長など、ええ!? と驚く姿で登場するんです。渋みを増したマッツもいいですが、初期のマッツもじつにいい。「北欧で知ってる言葉はタック（ありがとう）とスコール（乾杯）とマッツ・ミケルセン」が、私の持ちネタです。

*コペンハーゲンの空港の手荷物受取所でマッツと再会。

11/23

マリ・シムルソンの誕生日

マリとマリア

スウェーデンの〈グスタフスベリ〉や〈ウプサラ・エクビー〉で多くの陶器作品を残したマリ・シムルソン。テキスタイルデザインも手がけていたことはあまり知られていませんが、力強い作品を残しています。１９５４年にデザインされた〈モメント〉柄を見た時、これはわが家のリビングに合うだろうなあと確信。季節を選ばず、家具や空間とのなじみもよく、毎朝目にするとうれしくなるマリのテキスタイル。フリーダ・カーロのような強さのある女性のイラストもマリのデザインで、作品名はマリア。マリのデザインに惚れ込んで復刻版を作っているのは、北欧テキスタイルの研究家でもあるマリア・ヤーンクヴィストさん。マリアがマリのマリアを復刻しているとは運命的。

ブラックフライデーにNO！

日本にも浸透してきたブラックフライデーセール。クリスマス前の一大商戦ということで、北欧でも開催されていますが、最近ではあえて「ブラックセールにはのりません」と掲げるお店も出てきています。アパレル産業による環境負荷の大きさを考え、大量消費や使い捨てにつながるようなセール文化には与(くみ)しませんと宣言するお店からのメッセージには、はっとさせられます。たくさん買わずに、大切に長く使う。物を売る店がそれを掲げるなんて勇気のいることですが、だからこそ、その姿勢に賛同する消費者も少なくありません。セールのお知らせが届くとついそわそわしてしまうものですが、本当に欲しいものかどうか？　一旦、立ち止まって考える機会は必要ですよね。

11/25

エゴン・マチーセンの誕生日

青い目のこねこたち

大好きな絵本『あおい目のこねこ』がデンマーク生まれと知ったのは、北欧を旅するようになってから。絵本作家マチーセンが描いた青い目のこねこは、ねずみの国を目指して旅に出ます。ひとりぼっちでおなかが空いても、いやなことや怖いことがあっても、「なーに、こんなことなんでもないや」とへっちゃら。意地悪をしてきた黄色い目のこねこたちにも寛大なのです。子どもの頃にくよくよしていると母によく「青い目のこねこでいこう！」と言われました。読み返したいなと実家で探していたのですがなかなか見つからず、母が亡くなった時に母の寝室の棚に置いてあるのを見つけました。母も青い目のこねこが大好きだったんですね。木製の猫は姉がくれたもので、やっぱり青い目なのでした。

11/26

あの車を思い出すリース

なじみの花屋さんに行くと、もうクリスマスリースが並んでいました。わさわさと生い茂るようなグリーンに白い実と松ぼっくりの素朴さが気に入った今年のリース。斜めに枝が入っているのが洒落ています。ボルボの車のフロントグリルみたいです(向きが逆ですが)。スウェーデン人はボルボと、ライバルのサーブに関するジョークが大好き。サーブは庶民派、ボルボはお金持ちの車といった線引があるそうで、映画『幸せなひとりぼっち』では主人公のオーヴェと親友のルネがお互いの愛車を見せ合っては張り合い、往年のモデルが次々に登場するシーンは本国スウェーデンで大いにウケたそう。わが家のボルボリースは、だいぶ庶民的なお値段でした。

11/27

クリスマスの準備を始める日

ツリーを選んで飾りつけ、ジンジャークッキーを焼き、家族みんなへのプレゼントを選んで……と本格的なクリスマスの準備が始まるのは、クリスマスからさかのぼって約4週前の日曜日。この日を第一アドヴェントと呼び、4本のキャンドルが連なったアドヴェントキャンドルに毎週1本ずつ火を灯してカウントダウンが始まります。SNSでつながっている友人たちが、火の灯るキャンドルの写真を投稿しているのを見て、そうだそうだとわが家でもクリスマスの飾りを取り出します。

11/28

トナカイとヤギ

旅するうちにあれこれ集まっていた北欧らしいクリスマスオーナメント。フェルトのトナカイは、ヘルシンキでもっとも長く続く、元老院広場前のクリスマスマーケットで見つけたもの。行く時間が遅かったせいかトナカイばかりが売れ残っていて、その中からよい体つきの4頭を選びました。木製の人形はサンタクロースの手伝いをする妖精トムテ。乗っているのはヤギなんです。北欧神話のトール神が戦車を引かせていたというヤギにちなんで、北欧のクリスマスにはヤギのモチーフが欠かせません。このトムテ、スウェーデンの蚤の市で布を買ったら「これも持っていきなさい」と売り主の年配男性がくれたもの。ちょっと不格好で、おそらく手作りですね。

11/29

ホットワインの楽しみ方

北欧でクリスマス時期の飲み物といえばホットワイン。グロッギやグルッグと呼ばれる北欧のホットワインは、クローブやシナモンに加えてカルダモンを入れ、飲む時にレーズンとアーモンドを足すのが独特で、アルコールが苦手な人や子ども向けには、りんごや黒スグリなどのジュースで作ります。フィンランドで注文した時に「アルコール？」と尋ねられたので「イエス」と答えたら、赤ワイン版にさらにウォッカを追加されたのには驚きました。さすがお酒好きの国です。わが家の簡単レシピ◎赤ワイン（安いものでOK）1本に対してシナモンスティック1〜2本、クローブ5〜6個、カルダモン3〜4個、マーマレード大さじ2ほどを鍋で温めて、お好みで砂糖やはちみつを足し、飲む時に（あれば）レーズンとアーモンドを！

11/30

年賀状のモチーフ

年賀状をまだ作っていた頃、家にある北欧アイテムと猫をモチーフにしていた時期がありました。午年に向けて、ダーラナホースとウニさんを激写。馬を置いては転がされ、モフモフの毛の中に馬を置いたらそのまま寝てしまったり。馬にピントを合わせるべきか、猫にピントを合わせるべきか。試行錯誤の上、この1枚に。ひつじ年は〈アーリッカ〉の木製ひつじ、うさぎ年には〈フィンレイソン〉のうさぎ柄を使ったのでした。最近はすっかり年賀状作りから離れていますが、〈アーラ〉のロゴマークの牛、〈リサ・ラーソン〉の虎や〈カイ・ボイスン〉のモンキーを使って北欧モチーフでずらりと十二支が並べられたら、豪華ですねえ！

12/1

映画の日

素晴らしき哉、北欧映画！

10〜20代の頃は映画をよく見ていました。結婚や仕事で慌ただしくなり映画から離れていた頃、また再び興味をもたせてくれたのは北欧の作品です。『ぼくのエリ 200歳の少女』と『ドラゴン・タトゥーの女』を観た時の衝撃。暗いイメージの強かった北欧映画の印象が変わった『シンプル・シモン』。『ストックホルムでワルツを』や『リンドグレーン』に登場するかっこいい女性たちは人生の指針となりました。フィンランドのユホ・クオスマネン、スウェーデンのロイ・アンダーソン、デンマークのアナス・トマス・イェンセン、ノルウェーのヨアキム・トリアー、アイスランドのベネディクト・エルリングソンは新作が待ち遠しい監督たちです。

12/2

クリスマスの月

カレンダーも最後の月になりました。フィンランド語ではヨウルの月。ヨウルとはクリスマスのことです。日本では師匠も走り回る師走の気ぜわしい時期、そろそろ来年のカレンダーも探し始めないと、ですね。雪の中を歩くヘラジカは人気イラストレーター、マッティ・ピックヤムサが描いたもの。〈ケフボラ・デザイン〉から出ているシリーズで、フィンランドの森に住む動物を12カ月めくっていくのが楽しみでした。神戸の北欧ショップ〈マルカ〉ではケフボラ・デザインのカレンダーやポストカードをたくさん扱っていて、秋に関西を旅すると翌年のカレンダーを選ぶのが恒例となっていました。旬の味や季節ごとの行事、風景が描かれた北欧らしい12カ月、来年はどれにしようと悩むのも楽しいもの。

12/3

国際障害者デー

ノーマライゼーションの立役者

障害をもつ人も自分らしく普通に暮らせる世界を目指すノーマライゼーションは、北欧から生まれた理念。関連書籍はたくさんありますが、『クローさんの愉快な苦労話』は痛快な1冊です。著者のエーバルド・クロー氏はデンマーク筋ジストロフィー協会会長で、重度障害者が自宅で暮らすためのヘルパー制度を考案した人物。障害者が交流できるイベントとして立ち上げたグリーンコンサートはいまでは約20万人を動員するイベントとなっています。生後間もなく障害を負い、人の助けなしには生きていけなくなったクローさんですが恋愛も結婚もして、子どもを授かり、仕事もやりたいこともバリバリこなすパワフルさ。毒のあるユーモアのセンスも抜群で「障害者だから」との思い込みをバッサリと断ち切ってくれます。

マリメッコの明かり

12/4

イースターの時期は黄色、クリスマスには赤を少しずつ部屋のなかに増やしていきます。赤いガラスの器は〈イッタラ〉と〈マリメッコ〉の名前のもと生産されていた、その名もマリボウル。マリメッコの創業者アルミ・ラティアが気に入って使っていたというデザインです。ふと、これにキャンドルを灯したらきれいだろうなと思い、LED のティーキャンドルライトを入れてみたら、やっぱり美しい。この時期は本物のキャンドルの出番も増えますが、ロウがたれる面倒さがないのでLEDライトは便利です。こうしてキャンドル用ではない器にも使えますしね。

12/5

ツリーの飾り方

これまでに見てきた北欧らしいツリーのオーナメントを思い出してみます。きのこ、おなかの赤い鳥（日本名ではアカバラウソといいます）、毛糸で編み込みをした丸いボール、国旗、藁でできたヤギ。トントゥやトムテと呼ばれるサンタクロースのお手伝いをする妖精たち、ハート形の紙細工。ストックホルム市庁舎で見たツリーのてっぺんにはベツレヘムの星の代わりに、国章である3つの王冠が飾ってありました。日本の北欧各国大使館でも本国からツリーを取り寄せたり、日本の伝統文化とコラボレーションをしたりとさまざまな創意工夫を凝らしたツリーが飾られるのですが、アイスランド大使館で見たツリーは全体がアイスランド国旗の赤・青・白でまとめられていてとても素敵でした。エーリン・フリーゲンリング前大使の置きみやげです。

12/6

フィンランド独立記念日

オンネア、スオミ！

12月6日はフィンランドの独立記念日。ロシアやスウェーデンなど大国の脅威にさらされながら独立を勝ち取った国ゆえに、思いもひとしお。この日、フィンランドの大統領公邸では盛大な独立記念パーティが開かれます。招かれた人々はとびきりのおしゃれをしてレッドカーペットを歩き、人々はその様子をテレビで見てドレスの品評をするのが常。町中にはフィンランド国旗の青と白があふれ、夜になると窓辺にキャンドルを灯してお祝いの気持ちを表します。不屈の精神で独立を勝ち取り、いまや世界が注目するしあわせの国として存在感を示すフィンランド。独立100周年記念に発売された〈イッタラ〉の青いキャンドルホルダーとともにオンネア、スオミ（おめでとう、フィンランド）！

オイバのりんご

誕生日プレゼントにもらった〈イッタラ〉のガラスのりんごたち。バードシリーズで知られるオイバ・トイッカの作品で、シンプルな形なのにとてもオイバっぽい。どう飾ったらよいか考えていたところ、広島で立ち寄った北欧のお店〈ピロレイッキ〉でアイデアを発見。壁掛けツリーにぶらさげてあったのです。北欧ではりんごはクリスマスのモチーフでもあるのでまさにぴったり。ツリーは売り物ではなかったのですがお店の方が「ドイツ生まれの製品ですよ」と教えてくれました。本物のようですがじつはプラスチック製。繰り返し使えるのもいいなと、人生初のツリー購入となりました。オイバのりんご、こうして飾ると本当に素敵。藁で作った小さなヒンメリやデンマークのハートも一緒に下げて、北欧らしいツリーとなりました。

12/8

クリスマスのたこ焼き

日本ならではの器具で簡単に作れる、北欧クリスマスの味。それはデンマークのエーブルスキーバーと呼ばれるお菓子。ホットケーキのような甘みのある生地をまんまるに焼いて、粉砂糖をかけてジャムを添えていただくのですが、日本在住のデンマーク人はみんな口を揃えて「たこ焼き器で作れる」と言います。クリスマスマーケットの屋台でもおなじみの味でデンマークには専用の焼き器がありますが「たこ焼きにしか見えない」と思いましたもんね。エーブルとはりんごのことで、もともとりんごのスライスを入れていたことからその名がついたのだとか。ビアバーの〈ミッケラー〉では、ミード酒をかけたエーブルスキーバーを提供していました。攻めてる〜。

12/9

北欧組のピックヨウル

北欧のクリスマスは家族と過ごす日。友人や同僚とはそれより前に集って忘年会のような会を開きます。フィンランドではピックヨウル（小さなクリスマス）と可愛い名で呼ばれますが、ひたすら飲むのは日本と同じ。コロナ禍の前は北欧仲間とピックヨウルをしていました。北欧の輸入食材を扱う〈アクアビットジャパン〉の福北さん、北欧料理のレシピ本も出しているビンテージ店〈フクヤ〉店主の三田さんなど料理の猛者たちが腕をふるい、さらには北欧各国出身の友人たちがミートボールからホットワインまで自慢の味を持ち寄り、本場のクリスマスビュッフェ顔負けの食卓に。しかしある年、場を席巻したのはサルミアッキのお酒。北欧と付き合いの深い面々もこれには悲鳴。フィンランドの友人だけがニコニコと飲み干しました。

＊サルミアッキは甘草と塩化アンモニウムを使った、北欧で愛されるお菓子。

12/10

ノーベル賞のテーブルウェア

日本のメディアでもよく取り上げられるノーベル賞授賞式後の晩餐会は、12月にストックホルム市庁舎で行われます。ノーベル賞設立90周年の食卓に選ばれたのは〈ロールストランド〉のテーブルウェア。デザインを手がけたカーリン・ビヨルクヴィストはスウェーデンを代表するデザイナーのひとりです。わが家でよく朝食に使うこの皿は彼女のデザイン。そうとは知らずに中古ショップで手に入れたので、デザイナー名がわかった時にはびっくりでした。90周年の晩餐会で使われていたカトラリーが新潟県・燕市のメーカーとスウェーデンのデザイナーによるコラボ製品と知った時も驚きましたね。魚をモチーフにした、とっても可愛いカトラリーなんです。

12/11

モダンなロパペイサ

アイスランドの伝統ニット、ロピーセーター。現地ではロパペイサの名前で呼ばれています。北欧から生まれたノルディックセーターは土地ごとにさまざまな柄があり、ロパペイサの特徴は襟まわりの丸ヨーク。身頃から袖上部までが筒状に編まれているのです。ロピーとは甘撚り(あまより)の羊毛のことで、もともとは羊毛本来の色であるベージュやグレー、黒や茶しかなかったそう。レイキャビクにあるセレクトショップ、〈ゲイシール〉のオリジナルロパペイサは色味のユニークさにひと目惚れ。これ、羊毛ではありません。アイスランドを旅していると本格的な羊毛ニットがつい欲しくなるのですが、東京で着るには暑すぎると軽い着心地を選んだのでした。気に入って翌年にもう1枚購入。いまどきのロパペイサもいいですよ!

12/12

13人のサンタクロース

サンタクロースはどこに住んでいる？との問いは、北欧では喧嘩のもと。フィンランドのコルヴァトントゥリだ、いやグリーンランドだと、みな自分の国だと主張するからです。私の推しはアイスランドのサンタクロース。なんと13人いるのですよ。12月12日から1人ずつ山からおりてきてクリスマスに13人が揃ったら、また1人ずつ山へ戻っていき1月6日に全員が戻るとクリスマス期間の終了です。アイスランド語ではユールラッズ（クリスマス小僧）と呼ばれ、スプーンを舐めたり羊を驚かせたりといたずらをして、もともとは子どもを怖がらせる存在だったのが、いまでは1人ずつ小さなプレゼントを靴の中に用意してくれるようになったとか。13人いるのでトランプにもぴったり。

12/13

ルシア祭

光を求めるルシア祭

スウェーデンではクリスマスの前に、光の女神ルシアを讃えるルシア祭があります。その年のルシアに選ばれた少女を先頭に、ロウソクや星を手にした子どもたちが行列を作り学校や職場、教会などを歌いながら歩く行事で、その歌は日本でも知られるナポリ民謡『サンタ・ルチア』のメロディにスウェーデン独自の歌詞をつけたもの。元は舟歌ですが、スウェーデンでは暗闇のなかに光と希望をもたらす女神ルシアを賛美する歌となりました。ロウソクを灯した冠をつけるルシアの少女はイラストのモチーフにもなっていて、わが家にもルシアのテーブルセンターがあります。赤が増えるこの時期に、ピリッと引き締めてくれる色も気に入っています。

12/14

猫とうぐいす

ルシア祭の時期に人々が楽しみにしているのが、ルッセカットと呼ばれる黄金色の菓子パン。ルッセカットとはルシアの猫という意味で、猫のしっぽのようにくるりとねじった形から名付けられたそう。いくつかバリエーションがあるのですが、このS字形がいちばんポピュラーです。サフランで色付けされたパンには明るい光を求める気持ちが反映されていて、この時期はシナモンロールなど定番のパンを黄金色にすることも。私はこの黄金色の猫を見ると、緑色のうぐいす餅を思い出します。明るい季節を思わせる色といい、うぐいすというには素朴すぎる形といい、どこか通じるものがありませんか？

12/15

窓辺のハート

北欧にはクリスマス用の照明やテキスタイルなど、ツリーの他にも年に一度の出番を待っているアイテムがたくさんあります。わが家のクリスマス照明はハート形。紙を折って組み合わせて作るデンマークの伝統的な飾り、ユールヤータ（クリスマスのハート）を模した照明で、プラスチックペーパーで作られています。北欧のクリスマス照明というと星形が有名ですが、デンマークではハート形も見かけます。明かりをつけるとふんわり朧月のような光が漏れて、ご近所の方にも「あれ、いいわね」と好評なのです。

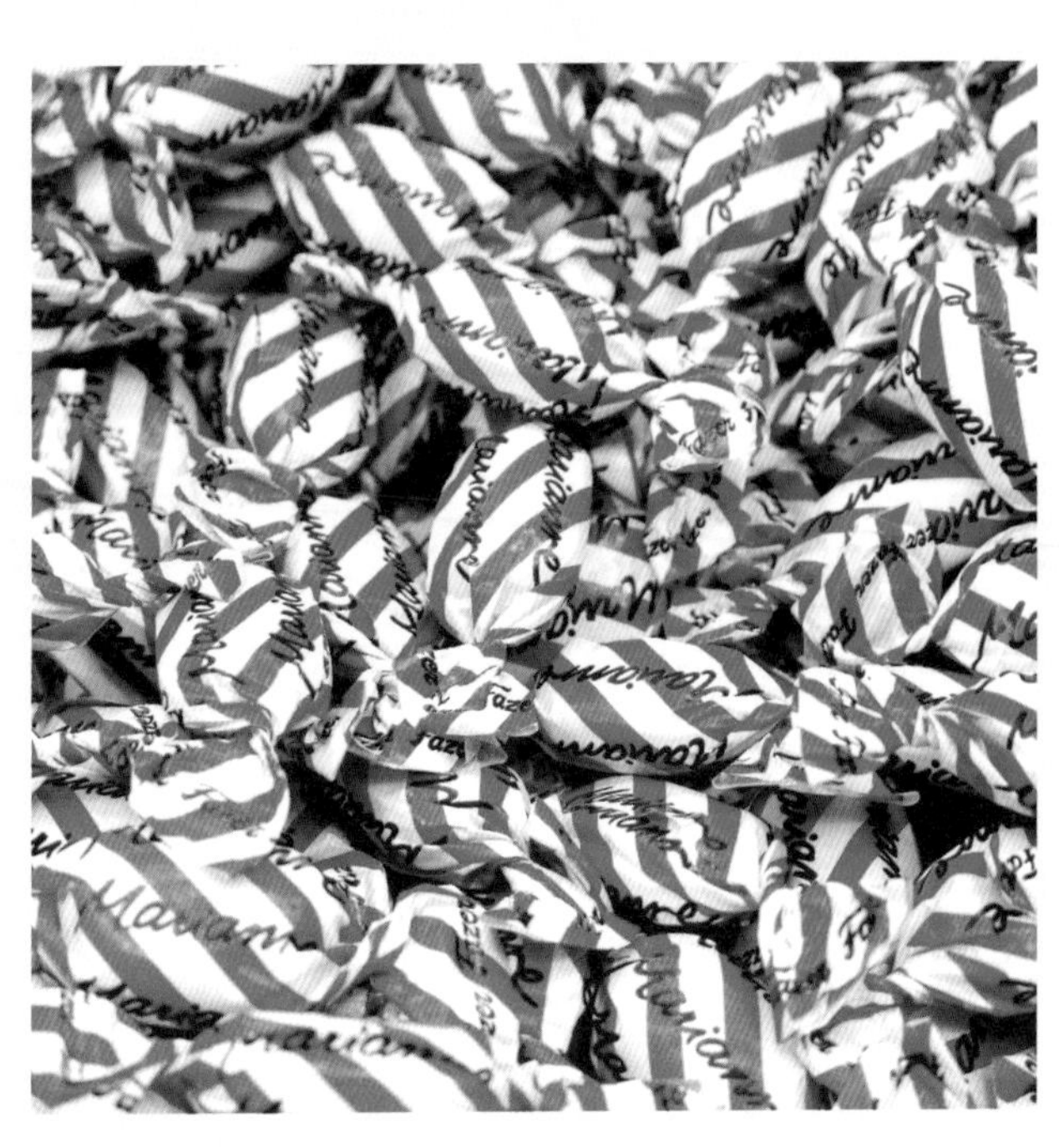

12/16

しましまのマリアンネ

初めての北欧旅行から何度も繰り返しおみやげに買っているフィンランドの〈ファッツェル〉のマリアンネキャンディ。チョコレートのフィリングが入ったミントキャンディは１９４９年から愛されている味です。当時は斬新と思われたこの組み合わせがフランス的！とマリアンネの名前がつけられたのだそう。クリスマスの時期にはお店のレジ横でサービスしていたり、コーヒーを注文したら一緒に出てきたことも。キャラメルトフィ入りの青白バージョンもあるのですが、キャンディケインを元にデザインしたという赤白ストライプがやはりとびきり可愛いですね。日本でも買えるので、いつも切らさずに置いています。

12/17

クリスマスの新しい服

12月のアイスランド旅行で、悪天候により飛行機が欠航。乗り継ぎのコペンハーゲンで足止めとなったことがありました。どうせならとクリスマスショッピングで賑わう町中へ繰り出し、ショーウィンドウで目に留まったのが赤いウニッコ柄のセーター。試着までしたのですが、これから仕事だしちょっとお高いしと後ろ髪を引かれつつ後にしました。旅を終えて帰りの乗り継ぎで空港内の〈マリメッコ〉をのぞいたら、なんということでしょう。セールになっていました。アイスランドにはユールキャットと呼ばれるクリスマスの猫がいます。魔女グリラの飼い猫で、クリスマスに新しい服を買ってもらえなかった子は、ユールキャットに食べられてしまうのです……と取材で得た知識に後押しされて、めでたく新しい服を買いました。

12/18

女王陛下のシール

友人から届いたクリスマスカードの封筒に貼られていた切手のようなシール。これは1904年から毎年、デンマークの郵便局で発売されているクリスマスシールです。5×10の50枚のシールで1シートになっていて、1シートでひとつの図柄になっています。毎年、さまざまな分野のアーティストが手がけていて、2015年のシールを描いたのはなんと現デンマーク女王のマルグレーテ2世。芸術家としても優れた才能を見せる女王は過去にもシールデザインを手がけています。クリスマスシールは日本の北欧展でも見かけますし、ネットでは過去のデザインを遡って見ることができます。自分の生まれ年はどんなデザイン？　とのぞき見るのも楽しいですよ。

12/19

南天・千両・ナナカマド

わが家の裏手には南天の木が植えてあって、ほどよい目隠しになっています。「難を転ずる」とかけて縁起物としても親しまれる南天。同じく赤い実をつける千両や万両も縁起のいい名前で、ひと枝飾るだけで年末年始の雰囲気が出ます。よく見ると鳥にだいぶつつかれていますが。寒い季節に映える赤い実は北欧にもあって英語でローワンベリー、日本語ではセイヨウナナカマドとよばれます。雪帽子をかぶった姿もおなじみで、クリスマスカードでも定番のモチーフ。〈マリメッコ〉の生地パッカネン（霜の意味）には、ナナカマドが大好物だというお腹の赤い鳥、アカバラウソとともに描かれています。

12/20

クリスマスの鐘

実家で片付けをしていたら出てきたクリスマスの飾り。紐を引くとチリンと小さな鐘がなるのです。見つけた瞬間、懐かしさがどっと押し寄せると同時に絵柄を見てびっくり。これはデンマークのテキスタイルデザイナー、オーセ・ヤンゴーの作品ではないですか！アンデルセンの物語の登場人物やバイキングなどデンマークらしいイラストを描いて大人気を博したオーセ。私も何枚かコレクションしているのですが（12月13日のルシア祭の布は彼女のデザイン）、デンマークの母と慕う友人がオーセの家に連れて行ってくれたことがあるのです。イラストから染めまで夫婦でしていた広い作業場や膨大なコレクションを見せてもらって感動しきりだったのですが、子どもの頃に、すでに彼女の絵にもう出会っていたんですね。この偶然には思わず、泣いてしまいました。

12/21

ギフトに選ぶもの

北欧のクリスマスの習慣でいいなあと思ったのは、本をプレゼントに選ぶ人が多いこと。クリスマスにちなんだ絵本やお話はもちろん、クリスマス休暇にゆっくり読めるミステリーやちょっと豪華なレシピ本なども人気があるようです。デンマークの友人は愛読している雑誌の1年間購読をプレゼントされていて、そんなのもいいなと思います。ギフト選びって案外と頭を悩ませるもの。この習慣を知ってから、少しラクになりました。

12/22

冬至

キャンドルが大好き

1人あたりのコーヒー消費量が世界ナンバーワンとたびたび話題になる北欧の国々。じつはキャンドル消費量もトップクラスで、素敵なデザインのキャンドルホルダーもたくさん。使いやすいティーキャンドルは100個セットなどで販売され「こんなにたくさんあっても……」と最初こそとまどいましたが、北欧式に慣れると案外と使ってしまうもの。いくつかまとめて灯すのがいいのですよね。1年でもっとも陽が短くなるこの時期こそ、キャンドルの温かい明かりが心にしみます。わが家でこの時期に活躍するのは〈イッタラ〉のクーシシリーズ。クーシとはトウヒのことで、フィンランドではクリスマスツリーとしても親しまれています。

ラッピングは自分で

ギフト選びで町がにぎわうこの時期、北欧ではラッピング用品もよく売れます。包装は自分でする人が多く、あちらでもらったプレゼントはどれも自前のラッピングでした。ツリーの下に積まれていくギフトには○○から○○へと手書きで名前が書いてあり、北欧では25日の朝まで待たず、イブの夜にプレゼントを開けていきます。私もいままでは自分で包んでいて、カラフルなペーパーやリボンを見つけると買いおきするように。長めに切ったリボンの端をはさみの刃でしごいて、くるくるっと巻きつけるのがワタシ流。北欧宛のギフトには日本らしい包装紙も混ぜます。仕上げに名前を書いたシールをペタリ。最初は億劫でもやり始めると楽しくなってきて達成感もありますよ！

12/24

クリスマスイブ

クリスマスの夜、何食べる？

北欧では、クリスマスディナーのメインは豚肉です。フィンランドやスウェーデンではマスタードソースを塗って焼いたハム、デンマークやアイスランドでは皮付きの豚バラ肉。ノルウェーでは豚肉料理とともに骨付き羊肉のグリルも伝統的な一品です。わが家ではここ数年、アイスランド産の骨付きラム肉がクリスマスのごちそう。付け合わせには北欧式にマッシュポテトや、根菜を添えています。アイスランドラムはバイキング時代に持ち込まれて以来の純血種。野生のハーブを食べてのびのび育つためくさみが少ないといわれ、現地で初めて食べた時には、もうアイスランド産ラムしか食べられないと思いました。日本でも手に入るのでぜひお試しを！

12/25

クリスマス

クリスマスの窓

もみの木柄のカーテンは、スウェーデンの人気ブロガーでありクリエイターのエリーサベット・デュンケルによるデザイン。ノートの端に描いた落書きのような、力の抜けたイラストが魅力で、彼女の暮らしがのぞける著書も愛読書のひとつです。この柄はクリスマス用というわけではないのですが、この時期に飾るとしっくりきます。白とグレーだと寒々しい気もしましたが、光がまぶしい朝に窓辺で過ごすのが好きなウニさんの姿が透けて見えていい感じ。みなさま、どうぞよいクリスマスを。

God Jul（ゴ・ユール）スウェーデン／デンマーク／ノルウェー
Gleðileg Jól（グレーリ・ユール）アイスランド
Hyvää joulua（ヒュヴァー・ヨウルア）フィンランド

12/26

ボクシングデー

セールで買うもの

クリスマスの翌日はボクシング・デーと呼ばれ、北欧では一般的にこの日までがクリスマスの祝日とされています。26日まで閉店の店も多いのですが、町を歩くとこの日からセールがスタートしているお店も。初めて北欧でクリスマスを過ごした時には、前日までの町中の人気（ひとけ）のなさとは裏腹に、冬物セールを目指す人々の活気ある姿を見てほっとしたもの。私がセールで買ったのはクリスマスの照明です。窓辺を飾る星形照明や山形のキャンドルスタンドなどが半額になっていて、この時期に北欧を旅していると、どの窓にも飾られているクリスマスの照明が欲しくなるのです。

12/27

冬のヒヤシンス

クリスマスから新年にかけて飾られる花というと、真っ赤なポインセチアやシクラメンがおなじみですが、北欧でこの時期によく見かけるのはヒヤシンス。鉢植えのほか水耕栽培で楽しむ人も多く、専用のガラス器に入れられて窓辺に置いてあるのをよく見かけます。淡いピンクや水色もいいですが、雪のように真っ白なヒヤシンスは、この時期らしくていいですね。12月のストックホルムで町中を散策していた時に見た自転車にもカラフルな毛糸の帽子や手袋とともに、白いヒヤシンスが飾られていました。お店の人の遊び心なのか、はたまたアート作品か？　しばし時間を忘れて目を奪われたのでした。

12/28

陶芸の国の小さき花

憧れの花を、ついに手に入れてしまいました。フィンランドの陶芸作家マリアンネ・フオタリの作品です。「黄金のラベンダー」と名付けられた作品は色彩といい質感といい、ヘルシンキの〈アラビア〉工場で見た壁面の飾りやアートピースを思い出させます。釉薬(ゆうやく)の使い方はルート・ブリュックのような雰囲気もあり、フィンランド陶芸のDNAを確かに受け継ぐマリアンネ。来日時に会った彼女はとても小柄で「まわりに大きな人が多いので、小さいことは私のアイデンティティ。小さなものにこそ意味があると思う」と話していたのも印象的でした。小さな陶製ピースを重ねて作った世界でひとつの花。今年1年がんばったご褒美です。さあ、どう飾ろうか、正月休みにゆっくり考えることにします。

12/29

北欧テイストの十二支

12月になると買うのを楽しみにしている、十二支の置物。ここ数年、実家に贈っているのは造形作家の秋草愛さんによる錫の十二支です。わが家の新入りは、富山県の〈大寺幸八郎商店〉からきたミニ干支シリーズ。ずんぐりと長い胴体でどことなくリサ・ラーソンの作品を思わせる寅さんの横では、2匹のうさぎが出番待ち。秋草さんの作品も、大寺商店の干支も可愛らしくて一気に揃えたくなるのですが、はやる気持ちを抑えて毎年ひとつずつ増やしています。

12/30

ムーミンママと大掃除

わが家では北欧にならって気合をいれた大掃除は春先にしています。とはいえ、1年の汚れを落として新年を迎えたい気持ちもあり、キッチンと仕事机のまわりは念入りに掃除をします。そしてお正月らしい花のアレンジを置いて、ひと区切り。世の大掃除と比べればだいぶ手抜きながら、気は焦るもの。そんな時に思い出すのはムーミンママです。ムーミン一家は11月から4月にかけて冬眠するので、その前に保存食の準備をしたり、家中を大掃除とママは大忙し。冬眠前とあってはそれは焦るでしょう。ムーミンママの大変さに比べればちょろいもの。とかなんとか考えて、あとひとがんばりするのです。

12/31

大晦日

大晦日の風物詩

日本の年越しは「ゆく年くる年」を見ながら除夜の鐘に耳を傾けるものですが、北欧の大晦日といえば花火です。じつは北欧では個人で花火を楽しめるのは年末だけという国が多いのです。例えばデンマークでは12月27日から、フィンランドやノルウェーでは12月31日の夜6時から翌1日の午前2時までと、かなり厳しく使用が制限されています。ここぞとばかりに悪ふざけをする人もいて、怪我や事故のニュースも多いので旅する方はお気をつけて！ ストックホルムでの年越しでは、王宮から打ち上げられる花火が窓から見えました。北欧の夏は暗い時間が短いので花火には不向き。暗く冷えた冬の夜空に打ち上がる花火もよいものです。みなさま、どうぞよい年をお迎えください。

あとがき

これが私の、いとをかし

1日1ページ、日本で楽しめる北欧について、歳時記もからめて書く。そんなトンチのようなお題をいただいた当初は自分に書けるのか不安がありました。これまで20冊ほど本を書いていますが、こんなに不安に思ったのはこれが初めてです。毎日、書くうちに「私も意外と旬や季節を楽しんでいた」と気づきました。自分はもっと雑な暮らしをしていると思い込んでいたのです。ぼんやりと好きだったものが、なぜそんなに好きなのかわかった日もありました。自分の好きな北欧を客観的に、時に批評的に捉えるのは思いのほか楽しい試みだったのです。9月23日に紹介している本を読んだ時には、私も〈セイ〉のように「これが、いとをかし!」と書けばいいのだと勇気づけられました。自分が惹かれるものを綴ることは、自分の暮らしを肯定することにもつながるんですね。北欧のおかげで、私の世界がずいぶんと広がっていることに改めて気づくこともできました。

機会をくださった編集の及川さん、気づきをくれた北欧と日本の友人たち、会津とのつながりをくれた義母、北欧の暮らしを教えてくれたデンマークの母、いまも変わらず私の暮らしの師匠である母、そして365日応援してくれた夫に感謝を捧げます。

二〇二三年二月

森 百合子

森 百合子　Yuriko Mori

北欧で取材を重ね、暮らしや旅の情報を中心に執筆。近著『日本の住まいで楽しむ 北欧インテリアのベーシック』(小社刊)では築89年になる自宅で北欧デザインを楽しむノウハウを伝える。主な著書に『3日でまわる北欧』シリーズ(トゥーヴァージンズ)、『北欧のおもてなし』(主婦の友社)など。執筆の傍ら、北欧のビンテージ食器とテキスタイルの店『Shop Sticka』を運営。NHK『世界はほしいモノにあふれてる』『趣味どきっ!』などメディア出演も多数。

https://hokuobook.com/
インスタグラムアカウント @allgodschillun

日本で楽しむ わたしの北欧 365日

2023年 3月 25日　初版第 1 刷発行
2023年 7月 12日　　　第 2 刷発行

著者　森 百合子

写真　森 百合子
森 正岳 (P.20, 22, 42, 60, 85, 88, 119, 128, 173, 178, 190, 196, 211, 247, 271, 295, 306, 311, 322, 326, 357, 370, 374)
デザイン　桂川菜々子
イラスト　サカガミクミコ
編集協力　風日舎
校正　鴎来堂
編集　及川さえ子

発行人　三芳寛要
発行元　株式会社パイ インターナショナル
〒170-0005　東京都豊島区南大塚 2-32-4
TEL 03-3944-3981　FAX 03-5395-4830　sales@pie.co.jp

印刷・製本　株式会社シナノ

ISBN978-4-7562-5657-7 C0077
Printed in Japan